Rapport d'activité

Helena Pires

Rapport d'activité professionnelle

dans le domaine de l'éducation à l'environnement

ScienciaScripts

Imprint

Cover image: www.ingimage.com

This book is a translation from the original published under ISBN 978-620-2-19363-4.

Publisher:
Sciencia Scripts
is a trademark of
Dodo Books Indian Ocean Ltd. and OmniScriptum S.R.L publishing group

120 High Road, East Finchley, London, N2 9ED, United Kingdom
Str. Armeneasca 28/1, office 1, Chisinau MD-2012, Republic of Moldova, Europe

ISBN: 978-620-7-28276-0

Index

Merci de votre attention.

À mon mari, Filipe, pour sa patience. À toute la famille pour sa coopération.

À ma belle-sœur, amie et collègue, Fàtima Faria, pour son soutien et son amitié inestimables, ayant été le "moteur écologique", avec télécommande, dans les moments les plus difficiles ! Je remercie également mon beau-frère, Luis Amorim, pour son soutien.

À l'équipe de l'école Alvaro Velho, y compris tous mes collègues, le personnel et la direction. Merci à Teodósio Faria, Rui Sequeira, Margarida Encarnaçao, Isabel Martins, Ana Dias, Menas, Carlos Moucho, Ana Ventura, Pedro Marques, Alice Figueira, Rui Santos, Carla Cardoso, Claùdia Martins, Sónia Correia et, bien qu'il ne soit plus parmi nous, Pedro Silva, qui fera toujours partie de la mémoire de cette équipe pour la personne qu'il était !

Aux associations et ONG : RNET, ASPEA, SPEA, CMB, Salinas do Samouco, Centro Ambiental da Mata da Machada et Sapal do rio Coina, pour leur collaboration avec notre travail scolaire.

À Helena Silva, ingénieure, pour avoir partagé ses vastes connaissances sur le RNET.

A André Batista pour son implication dans l'éducation à l'environnement.

À mes amis les plus proches et à mes cousins, Marta, Rui, André et Joana.

A ma superviseuse, Isabel Mina, pour sa disponibilité et ses recommandations toujours pertinentes.

A tous mes étudiants, pour leur motivation et leur implication et pour lesquels je serai toujours disponible.

Résumé

Ce rapport d'activité professionnelle renforce l'importance de la formation continue des enseignants, qui valorise l'acquisition de connaissances, de compétences et de pratiques pédagogiques dans des contextes professionnels variés.

L'estuaire du Tage, en raison de son importance écologique, géographique, historique et culturelle, a servi de thème pour avertir que les défis de la préservation et de la conservation des zones humides et de la plupart des écosystèmes sont de plus en plus grands. Le premier chapitre décrit brièvement ce thème.

Pendant des siècles, l'homme a causé les problèmes environnementaux auxquels la société moderne est confrontée aujourd'hui. Il est urgent de changer les comportements et les attitudes pour remédier à ces problèmes et nous permettre de vivre sur une planète durable. La pollution, l'extinction des espèces, le gaspillage d'énergie et le changement climatique sont des préoccupations des instances politiques locales et mondiales, des organisations, des associations et des écoles. Ensemble, nous devons contribuer à l'éducation à l'environnement et à la citoyenneté de la société dans son ensemble.

À l'école, contribuer à la sensibilisation et à l'éducation à l'environnement des élèves consiste à les impliquer dans des projets qui impliquent un contact direct avec la nature et un lien affectif avec les lieux étudiés. Dans la carrière professionnelle décrite dans le deuxième chapitre de ce rapport, je contribue à former des étudiants proactifs en faveur d'un avenir durable.

Mots-clés : Estuaire, Tage, éducation à l'environnement, durabilité

*"Tu es un fleuve plein d'eau transportée, Et tu donnes la direction à la frégate que j'ai choisie... "*Pedro Barroso

Introduction générale

Ce rapport présente l'expérience professionnelle de dix-huit années d'enseignement des sciences dans des écoles primaires et secondaires, en particulier dans l'estuaire du Tage. Il aborde les stratégies d'éducation à l'environnement et une réflexion sur l'importance de la formation continue des enseignants dans la pratique de l'enseignement, ce qui est la raison d'être de ce master.

Le premier chapitre présente l'un des plus grands estuaires d'Europe occidentale figurant sur la liste des sites de la Convention de Ramsar. En vertu de ce traité intergouvernemental, l'estuaire du Tage est classé comme zone humide d'importance internationale et constitue la plus grande zone humide de la péninsule ibérique (Neves, 2010). Le deuxième chapitre présente une réflexion sur l'activité professionnelle, les activités de formation réalisées et les projets développés au cours d'une carrière professionnelle, avec la pratique de l'éducation à l'environnement toujours présente dans l'activité d'enseignement. L'approche de l'éducation à l'environnement dans l'enseignement des sciences est toujours interdisciplinaire, étudiant les nombreuses activités qui mettent en évidence la proximité de l'homme avec cet estuaire.

Ce thème répond à mon intérêt personnel pour l'environnement et à la nécessité de donner aux étudiants une connaissance plus approfondie de la région où ils vivent. Il est urgent de minimiser certaines des erreurs environnementales commises par l'homme et de réduire l'excès de déchets produits dans de nombreuses communautés. La sensibilisation aux attitudes écologiques comme moyen de réduire l'"empreinte écologique" contribuera à la préservation de la planète par une utilisation plus durable de ses ressources. La transmission de ces valeurs aux élèves des écoles primaires et secondaires atteindra leurs familles, contribuant ainsi à la promotion d'une société plus consciente de la nécessité de préserver et de respecter la nature.

Le choix de l'estuaire du Tage comme thème de ce travail est essentiellement dû à deux raisons : 1) la proximité de l'école primaire Alvaro Velho 2,3 avec la réserve naturelle de l'estuaire du Tage (RNET), qui comprend une zone de protection spéciale (ZPS). La biodiversité qui caractérise cette région peut être étudiée *in loco, grâce* à la facilité des déplacements, ce qui permet d'explorer une grande variété de contenus enseignés dans la matière Sciences Naturelles en 7ème et 8ème année ; 2) l'histoire de la relation entre le Tage et l'Homme, point de départ des découvertes portugaises, qui reste aujourd'hui une porte d'entrée et de sortie sur le monde. Ce thème permet une approche transversale, associant les sciences à d'autres matières et donnant aux élèves une vision du passé et du présent qui leur permettra de réfléchir à l'avenir, qui sera construit par nous tous !

L'estuaire du Tage a toujours été un "bien" pour ses villes, qui n'ont pas toujours su l'exploiter au mieux. Outre la pêche, la saliculture, la navigabilité et le transport, et l'exploitation de ses rives fertiles, il a également été une source d'inspiration pour des écrivains et des poètes tels que Camoes, Fernando Pessoa et Alves Redol. Ce dernier, dans son œuvre *Avieiros, a* qualifié les pêcheurs de "gitans du Tage" et Soeiro Pereira, dans son roman *Esteiros,* décrit le travail des enfants dans les tuileries le long du fleuve. Au fil du temps, le Tage a subi d'importantes modifications, essentiellement dues à l'impact anthropique sur les deux rives. Sur la rive sud, il convient de noter la préservation des municipalités couvertes par des zones protégées telles que les réserves naturelles, les zones de protection spéciale et les sites d'importance communautaire, contrairement aux municipalités qui ne bénéficient d'aucune protection.

Les objectifs de consommation durable pour le millénaire visent à assurer les besoins de base, à préserver et à renforcer les ressources naturelles de notre planète, à garantir une bonne qualité de vie et le bien-être de tous. Ces questions doivent être abordées à l'école, comme l'affirme *Munasinghe, lauréat du* prix Nobel de la paix en 2007. Nous ne pouvons pas nous attendre à ce que tous les changements relèvent de la seule responsabilité des organes directeurs et toute mesure prise en faveur de l'éducation environnementale de nos enfants et de nos jeunes sera importante pour atteindre les objectifs souhaités.

Dans l'aire géographique de l'Escola Bàsica 2,3 de Alvaro Velho, l'industrialisation de la paroisse de Lavradio a empêché les jeunes générations de profiter de la rivière. La pollution et l'urbanisation ont détruit les parcs à huîtres, comblé les marais salants et réduit la flore et la faune de cette partie de l'estuaire. Aujourd'hui, la plupart des usines sont fermées. Les nouvelles structures routières ont relancé la spéculation immobilière dans la région, alors que les exigences de la vie imposent de "nouvelles" règles d'aménagement et de développement local et régional. La relation entre toute la rive sud (et Lavradio) et le Tage est devenue une question politico-culturelle de la plus haute importance aujourd'hui.

Dans ce contexte, les élèves sont amenés à reconnaître l'importance d'une zone humide locale - l'estuaire du Tage - dans le cadre d'une approche interdisciplinaire, afin qu'ils puissent plus facilement comprendre les questions environnementales plus générales. La compréhension de ces questions devrait permettre de passer d'habitudes consuméristes à des attitudes écologiques, ce qui est conforme au projet éducatif de l'école : "Citoyenneté et développement durable, penser globalement, agir localement".

Enracinée dans le nord de Tràs-os-Montes et dans le Haut-Douro, je pense que mon activité professionnelle, exercée dans différentes régions du pays, m'a permis d'acquérir une vaste connaissance régionale et culturelle des différentes localités que j'ai traversées. C'est dans l'estuaire du Tage que je me suis installée, d'où la nécessité de mieux le connaître. J'ai approfondi mes connaissances en participant à des formations et en faisant des recherches sur le terrain (*in loco*) et dans la bibliographie. Continuer à l'explorer avec mes étudiants sera un atout.

Chapitre 1 : L'estuaire du Tage

1. Introduction

La promotion de l'éducation à l'environnement pour la durabilité dans les systèmes d'enseignement préscolaire, primaire et secondaire est conforme aux lignes directrices de la déclaration de la Décennie des Nations Unies pour l'éducation en vue du développement durable (2005-2015). Pour l'ONU/UNESCO, elle repose sur la vision d'un monde dans lequel chacun a la possibilité d'accéder à l'éducation et d'acquérir, outre des connaissances scientifiques, des valeurs qui favorisent des pratiques sociales, économiques et politiques contribuant à un avenir qui rend les besoins humains compatibles avec l'utilisation durable des ressources, ce qui implique une transformation positive de la société.

En ce siècle dominé par la mondialisation et l'information, nous assistons à des tensions permanentes entre le global et le local, l'universel et l'individuel, la tradition et la modernité, la compétition et l'égalité des chances, entre le développement durable et le gaspillage des ressources, la richesse et la pauvreté. La Décennie de la biodiversité (2011-2020) a été proclamée par les Nations unies pour que l'humanité puisse vivre en harmonie avec la nature et gérer prudemment ses richesses.

Il est essentiel et urgent de prendre des décisions politiques mondiales plus conscientes. Si nous contribuons tous à de petites mesures, elles feront toute la différence. Les autorités locales et les écoles doivent gagner en force pour mettre en œuvre l'éducation à l'environnement parmi tous les citoyens, dans le but de créer des citoyens plus proactifs.

Afin de promouvoir l'éducation environnementale à l'école primaire Alvaro Velho 2,3, l'estuaire du Tage a été choisi comme thème central. À travers les âges, il a servi les êtres vivants et l'humanité de différentes manières. Ce travail vise à les "amener" dans la salle de classe pour les explorer avec les élèves d'une manière interdisciplinaire. Dans le cadre des sciences naturelles, le thème est exploré dans le contexte de la dynamique des écosystèmes et de la durabilité de la Terre, enseignés en septième et huitième année de scolarité.

Malgré plusieurs références à d'autres municipalités, l'étude se concentre sur la rive sud, à savoir Barreiro et la paroisse de Lavradio, où se trouve l'école. De même, la municipalité d'Alcochete, puisque les "Salinas do Samouco" sont le site cible de notre projet : "Les salines viennent à l'école". Parmi les régions qui entourent l'estuaire, Barreiro est la plus urbanisée et Alcochete est celle qui a réussi à se préserver le plus de l'action de l'homme, car elle est couverte par des zones protégées telles que la réserve naturelle de l'estuaire du Tage (RNET), la zone de protection spéciale (ZPS) et le site d'importance spéciale (SIC).

L'Escola Bàsica 2,3 de Alvaro Velho, à Lavradio, a été construite dans une zone où se trouvaient autrefois d'immenses marais salants. Aujourd'hui, il n'y a plus de marais salants en activité dans la municipalité. Barreiro a été l'une des villes les plus transformées au fil du temps et l'une des zones les plus urbanisées. À l'époque de la monarchie, la rive sud était un lieu de villégiature privilégié en raison de son "air", considéré comme l'un des plus sains de la région. Après le grand développement industriel et la construction de la Companhia da Uniao Fabril (CUF), ce scénario a subi des changements majeurs.

L'environnement doit être pris en compte par tous les citoyens, les autorités politiques, les associations de défense, les organisations non gouvernementales (ONG) et les autorités locales, qui jouent un rôle de premier plan dans la prise de décision et la sensibilisation à l'environnement. Le conseil municipal de Barreiro (CMB) et le centre environnemental de Mata da Machada et Sapal do Rio Coina font preuve de beaucoup d'efforts et d'intérêt pour améliorer la qualité environnementale de la ville. Le CMB s'efforce activement de sensibiliser le grand public à l'environnement en organisant des activités gratuites et en soutenant les écoles qui travaillent dans ce domaine. En octobre 2012, la Reserva Natural Local do Sapal do Rio Coina e Mata da Machada a été créée afin de promouvoir et de protéger les valeurs de la biodiversité locale. Pendant des siècles, son bois a alimenté les fours à chaux, à verre et à céramique ainsi que les chantiers navals de la région.

La création du club "Amis de la nature" en 2013 a permis une approche transversale de l'importance de l'estuaire du Tage et de l'étude et de la compréhension des changements environnementaux au fil du temps. Les sorties sur le terrain organisées dans ce contexte ont permis d'établir un lien entre le contenu du programme et l'environnement en combinant les composantes cognitives et affectives de l'apprentissage, en permettant aux élèves de passer de concepts simples à des concepts complexes, d'acquérir une expérience directe des phénomènes et des matériaux concrets et de réaliser des activités pratiques pour construire et appliquer les concepts de manière *concrète*. Il a également permis aux élèves de mener de courtes enquêtes et des discussions en petits groupes en s'appuyant sur l'observation, créant ainsi un environnement propice à l'apprentissage.

"Les estuaires sont essentiels aux processus écologiques qui soutiennent la vie.

Stratégie mondiale de conservation

2. L'estuaire du Tage

Les rivières sont des cours d'eau naturels qui se jettent dans d'autres rivières, des lacs ou la mer. Ils peuvent présenter des caractéristiques différentes en fonction de leur cadre géologique et climatique, et leurs communautés biologiques varient le long de leur profil longitudinal, de la source à l'embouchure. Ils ont une grande valeur économique car ils soutiennent de nombreuses activités humaines, telles que l'agriculture, la production d'électricité, la pêche et le tourisme.

Un estuaire est une zone humide où se rencontrent, se mélangent et s'interpénètrent deux milieux aquatiques différents : l'eau douce et l'eau salée. La plupart des estuaires sont dominés par la présence d'un substrat vaseux qui provient des fines particules colloïdales que le fleuve, à son extrémité, transporte en suspension dans l'eau. Le mélange de ces particules avec des eaux salines d'origine marine provoque leur agrégation électrolytique et leur floculation, puis elles se déposent progressivement sur les fonds estuariens. Ce dépôt de substances donne naissance à des champs de vase plus ou moins étendus (Dias, 1999).

Cet écosystème présente une productivité biologique élevée en raison de l'abondance des nutriments, ce qui se traduit par une communauté diversifiée de producteurs. Cependant, les êtres vivants qui l'habitent sont soumis à un *stress* environnemental élevé en raison des variations des facteurs abiotiques tels que la salinité, la température, l'hydrodynamisme, l'oxygène dissous et la turbidité de l'eau.

La côte portugaise possède un grand nombre de systèmes estuariens de tailles et de caractéristiques différentes. Les estuaires, zones humides par excellence, font partie du patrimoine naturel du pays et constituent un atout pour le pays.

Selon Mc Lusky (1989), les estuaires peuvent être classés en trois types en fonction de leur équilibre hydrologique global : (I) positif, lorsque le prisme de la marée montante est inférieur à celui de la marée descendante ; (II) neutre, lorsque le débit fluvial est du même ordre de grandeur que les pertes d'eau et (III) négatif, lorsque, au contraire, le prisme de la marée montante est supérieur à celui de la marée descendante.

La salinité est l'un des principaux facteurs qui conditionnent l'écologie des estuaires. Adam (1990) représente schématiquement trois types d'estuaires, illustrés dans le tableau 1 : le coin salé, la stratification partielle et l'homogénéité verticale.

Tableau 1 - Distribution de la salinité et des courants dans les trois types d'estuaires (adapté de Dias, 1999)

DANS LES WEDGES DE SEL	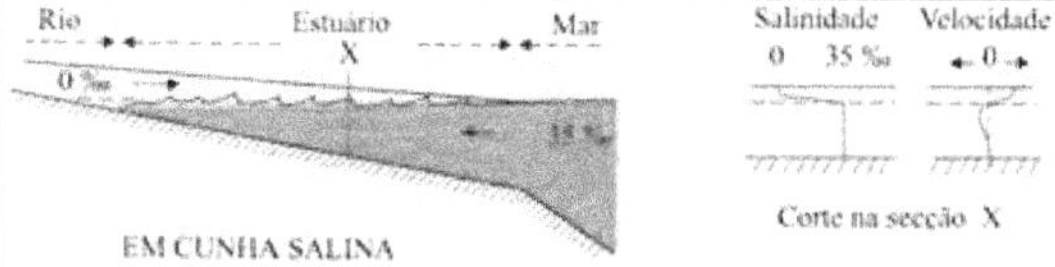 Rio / Estuário / Mar / X / 0 ‰ / 35 ‰ / EM CUNHA SALINA / Salinidade 0 35 ‰ / Velocidade 0 / Corte na secção X Estuaires avec un courant d'eau salée près du fond et un courant d'eau douce à la surface.

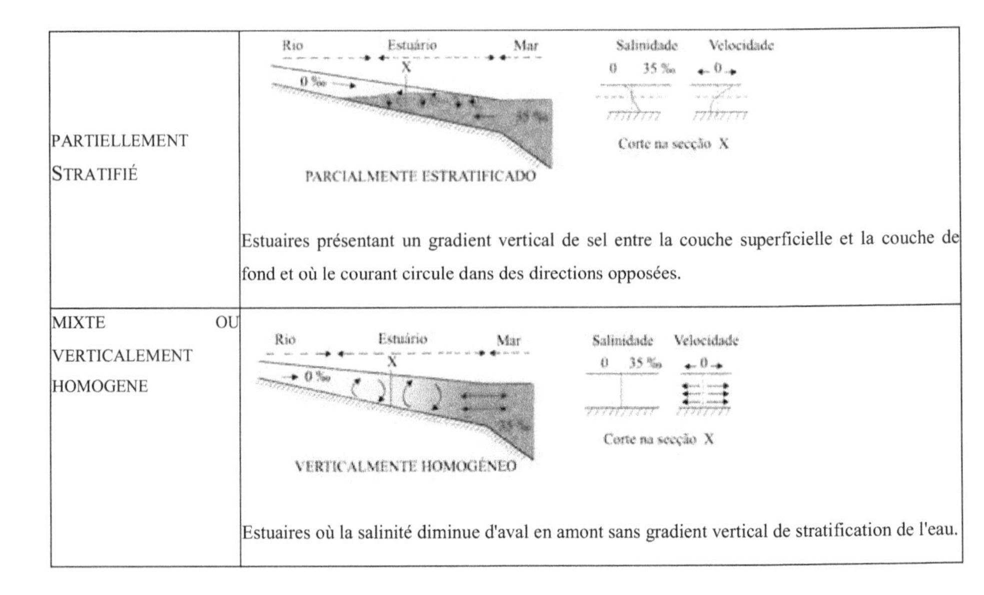

PARTIELLEMENT STRATIFIÉ	Estuaires présentant un gradient vertical de sel entre la couche superficielle et la couche de fond et où le courant circule dans des directions opposées.
MIXTE OU VERTICALEMENT HOMOGENE	Estuaires où la salinité diminue d'aval en amont sans gradient vertical de stratification de l'eau.

Le Tage prend sa source en Espagne, dans les montagnes d'Albarracin, à une altitude d'environ 1 800 mètres, et parcourt environ 1 070 km avant d'atteindre sa zone estuarienne, dont plus des deux tiers se trouvent en Espagne. Après avoir pénétré sur le territoire national, aux portes de Vila Velha de Rodão, le Tage traverse deux barrages (Fratel et Belver) et, en rejoignant le Zèzère à Constância, augmente considérablement son débit grâce aux eaux provenant du massif de l'Estrela. Au fur et à mesure que la rivière progresse vers son embouchure, elle traverse des terrains à très faible pente qui peuvent être facilement escaladés lorsque le débit augmente, ce qui permet à l'eau de se répandre dans les champs, d'utiliser les lies et d'alimenter leur formation. Il se jette ensuite dans un massif calcaire de l'Estremadure qui alimente le Tage avec ses eaux (Chitas, 2012). Ces eaux atteignent l'estuaire en même temps que les eaux de la rivière Sorraia.

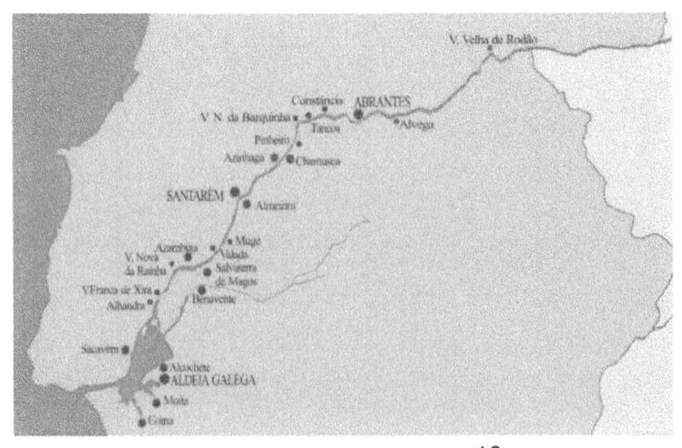

Figure 1 - Ports fluviaux sur le Tage au début du XVIIe siècle (Dias, 1999).

Les principaux affluents du Tage au Portugal sont : a) sur la rive droite : les fossés Erges, Aravil, Ponsul, Ocreza, Zêzere, Almonda, Alviela, Maior, Trancao et Azambuja, les ruisseaux Ota et Alenquer ; b) sur la rive gauche : les rivières Sever, Sorraia et Almansor et les ruisseaux Nisa, Figueiró, Alpiarça ou Ulme, Muge et Magos (Figure 1).

"Depuis l'Antiquité, le Tage est la principale voie d'accès à la péninsule ibérique et son estuaire a assumé pendant des siècles la splendeur et l'importance d'une navigation active et dynamique comme meilleur moyen de transport des personnes et des marchandises. L'estuaire du Tage n'a pas séparé, mais uni les deux rives grâce à un trafic fluvial intense et permanent, qui devait s'intensifier avec le soutien des flottes de découverte. Pendant des années, il a été la principale porte d'entrée de Lisbonne, un lieu de rencontre entre différents peuples, cultures et civilisations. L'estuaire, qui occupe une place prépondérante dans notre histoire navale, a maintenu un lien étroit, profond et dynamique avec Lisbonne" (Dias, 1999).

L'estuaire du Tage est le plus grand du Portugal, avec une superficie de 325 km^2 , et est considéré comme positif et partiellement stratifié (tableau 1). Son bassin hydrographique a une orientation dominante est-ouest et couvre une superficie de 80 630 km^2 , dont 55 769 km^2 sont situés sur le territoire espagnol et le reste sur le territoire portugais (figure 2). Il s'agit d'un estuaire mésotidal, c'est-à-dire avec un marnage moyen d'environ quatre mètres. La salinité varie en pourcentage de 0 ‰, à 50 km en amont de l'embouchure, à environ 37 ‰ à l'embouchure de l'estuaire. La température de l'eau varie de 8°C à 26°C (Neves, 2010). Les principales caractéristiques physiques du fleuve et de l'estuaire du Tage sont résumées dans le tableau 2.

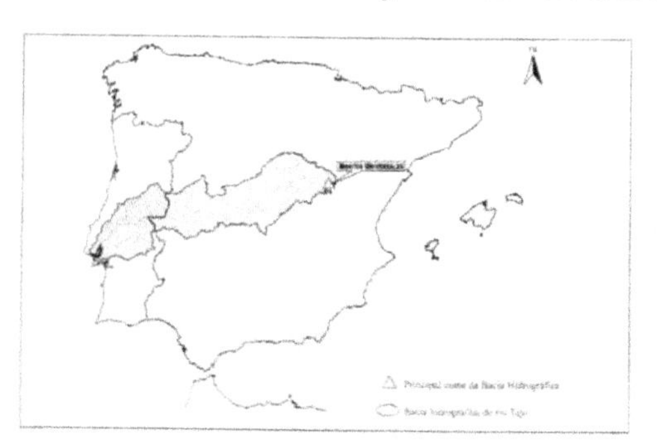

Figure 2 - Bassin du fleuve Tagus (Dias, 1999).

Tableau 2 - Principales caractéristiques physiques du fleuve et de l'estuaire du Tage (Dias, 1999).

Rio	Précipitations	Précipitations annuelles moyennes dans le bassin	700 mm
	Dimensions	Longueur	1 070 kilomètres

	Débit	Interannuelle	400 m^3 /s
		Gama	de 100 à ≥ 2000 m^3 /s
Studio	Dimensions	Superficie totale de l'estuaire	325 kilomètres^2
		Longueur de l'estuaire	50 kilomètres
		Zone intertidale	136 kilomètres^2
		Largeur maximale	15.160 m
		Largeur moyenne	4.040 m
		Volume moyen total (NM)	$1,890 \times 10^6$ m^3
	Profondeur	Profondeur maximale (hydraulique)	32 m
		Profondeur moyenne (hydraulique)	10.6 m
	Autres caractéristiques	Prisme de marée moyen	600×10^6 m^3
		Excursion de la marée	6 à 20 kilomètres
		Temps de séjour de *l'eau*	8 à 50 jours
		doux	
		Afflux de sédiments fluviaux	1 à 5×10^6 Ton/an

À la fin du Tertiaire et au début du Quaternaire, l'estuaire du Tage était probablement peu profond et marécageux, formant un système deltaïque entrecoupé de nombreux chenaux (Dias, 1999). Les mouvements tectoniques de la croûte et les oscillations du niveau de la mer ont été à l'origine de l'évolution complexe de la zone du Tage inférieur et de son estuaire. Il y a environ 80 millions d'années, avec la fin des grands événements volcaniques qui ont eu lieu dans la région de Lisbonne/Mafra. À partir de cette époque, le bassin du Tage a commencé à s'enfoncer le long d'une grande faille (la faille du Tage), qui a déterminé le tracé du lit du fleuve et a été la cause principale de la différence marquée de relief entre ses rives. Aujourd'hui, l'élévation de la rive droite par rapport à la rive gauche est clairement visible, et cette dernière est beaucoup plus déchiquetée. C'est sur cette rive que se trouvent les champs d'alluvions qui constituent la fertilité du Ribatejo. Avec l'enfoncement progressif du lit de l'estuaire, un vaste bassin s'est formé pour recevoir l'eau et les sédiments apportés des zones en amont (galets de granit, schiste, quartzite, entre autres). Lorsque le niveau de l'eau montait, toute la zone du bassin du Tage se transformait en un vaste golfe marin où poussaient des coraux et où l'on trouvait des requins, des tortues, des cétacés et des poissons tropicaux. Lorsque la mer se retirait, une plaine alluviale marécageuse se formait, avec de vastes lacs habités par des crocodiles. Dans ces plaines vivaient des rhinocéros, des mastodontes, des chevaux primitifs et autres.

Lors du dernier retrait de la mer pendant la période glaciaire de Würm, tout le bassin du Tage a été recouvert de grandes dunes. De nombreuses zones ont été cultivées au fil des siècles, depuis les Romains jusqu'à nos jours, en tirant parti des sols fertiles qui ont toujours caractérisé cette région.

Au cours des derniers millions d'années, cette région a subi d'importants changements climatiques, passant d'un climat tropical à un climat désertique et à un climat tempéré froid. Ces variations ont affecté la diversité des animaux et des plantes.

Actuellement, l'estuaire du Tage peut être divisé en trois unités géomorphologiques distinctes : la Mar da Palha, le canal de Barra et les stearns de la rive sud (figure 3).

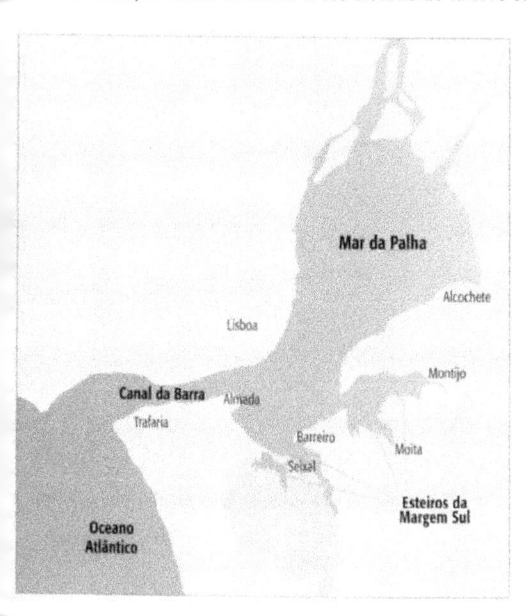

Figure 3 - Unités géomorphologiques de l'estuaire du Tage (Lima, 1997)

Quant à la mer de Paille, unité fondamentale de la région vestibulaire du fleuve, longue d'environ 30 kilomètres et large de 15 kilomètres, ce golfe spectaculaire est d'une ampleur à couper le souffle. Les eaux y sont peu profondes, poussées par les marées avec de faibles courants, et turbides en raison de la vase maintenue en suspension. La superficie couverte par les eaux est de 261 km^2 (Farinha, 2000). En aval de Vila Franca de Xira, on trouve quatre mouchoses[1] : les mouchoses Alhandra, Garças, Lombo do Tejo et Póvoa, petites îles alluviales peu profondes et inondées. Les variations des marées et l'étendue des alluvions permettent une grande variété d'habitats : marais, marais salants, bancs de vasa, leziria, roselières. Cette géodiversité, associée à sa situation géographique et climatique, fait de cet estuaire un véritable sanctuaire pour les oiseaux et l'une des zones humides les plus importantes d'Europe.

La mer de paille doit son nom au fait que les bateaux qui remontaient le Tage à l'époque des routes commerciales échangeaient du sel et des savonnettes contre des céréales, du vin, des fruits et de la paille, qui débordaient dans l'eau.

1 Petites îles au milieu de la rivière, formées par l'accumulation de sols alluviaux.

Le canal de Barra, le "goulot d'étranglement" qui établit la communication avec l'océan Atlantique, a une longueur d'environ 10 kilomètres et une largeur presque constante de 2 kilomètres. C'est la partie la plus profonde de l'estuaire (environ 40 mètres) et celle où les courants sont les plus forts. Ses eaux peu polluées ont la salinité la plus élevée de tout l'estuaire. Elle abrite des espèces qui n'existent que dans cette zone. Il est la porte d'entrée de nombreuses espèces de poissons en provenance de l'océan Atlantique et est très important car il permet aux eaux intérieures d'être recyclées par les flux et reflux des marées. La zone terminale du canal de Barra commence progressivement à céder la place aux eaux marines, formant une sorte d'"embouchure" délimitée jusqu'à la ligne Bugio/Sao Juliao (Lima, 1997).

Les steppes sont comme les doigts d'une main dont la paume est la mer de Paille. C'est l'unité où l'eau est la plus profonde, laissant une grande surface découverte à marée basse. Les marais sont situés aux extrémités et sur les rives des estuaires, et leurs caractéristiques les rendent propices à la naissance, à la croissance et à l'abri d'une faune fluviale et estuarienne diversifiée.

2.1. Biodiversité estuarienne

"L'estuaire du Tage est magnifique et majestueux, et constitue en même temps un élément très précieux de la matrice écologique et économique de ce vieux continent, tant pour l'ichtyofaune, l'avifaune et d'autres groupes biologiques que pour le soutien de diverses activités économiques. (Dias, 1999)

Les organismes estuariens peuvent être classés, comme le montre la figure 5, d'oligohalin à sténohalin s'ils sont respectivement moins ou plus tolérants à la salinité. Avec une tolérance intermédiaire, on trouve les organismes véritablement estuariens, qui se répartissent dans des eaux dont la salinité est comprise entre 5 et 18 ‰ (permilage), et les organismes eurihalins, qui vivent dans des eaux dont la salinité est rarement inférieure à 18 ‰. Les organismes migrateurs utilisent une voie de communication entre la mer et l'estuaire et tolèrent des salinités élevées et faibles (figure 4).

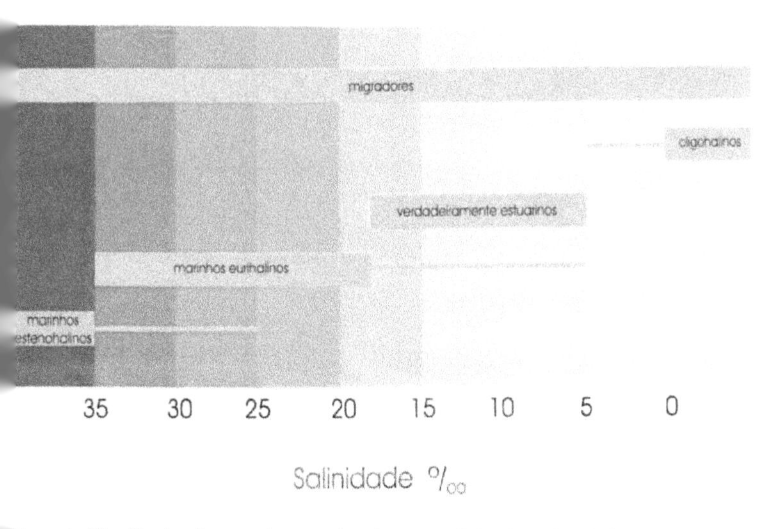

Figure 4 - Classification des organismes en fonction de la salinité de l'*habitat* (Dias, 1999)

Les micro-organismes fournissent de grandes quantités de nutriments qui sont essentiels pour les niveaux élevés de productivité des estuaires. On y trouve des algues macrophytes, dont les espèces les plus représentatives sont la laitue de mer (*Ulva lactuca*), le bodelha (*Fucus vesiculosus*) et la *Gracilaria verrucosa*. À marée basse, des algues unicellulaires du groupe des diatomées se développent sur les berges découvertes.

Les espèces végétales halophytes ont la morphologie adéquate pour résister à une salinité élevée. Elles ont des glandes épidermiques qui sécrètent l'excès de sel, des racines complexes, des tiges succulentes et de petites feuilles (Lima, 1997).

Ces plantes apparaissent sur le sol salé en formant une série de halos dans une stratégie de propagation horizontale (Fig 5 a-f). La morraça (*Spartina maritimus*) est considérée comme la pionnière, en contact direct avec l'eau salée sur les berges. Elle est suivie par les graminées (*Arthrocnenum perenne* et *Halimione portulacoides*) et les sarcocornias (*Sarcocornia alpina* et *S. Fruticosa)*, et enfin par l'*Aster* tripolium, l'*Inula crithmoides, l'*armoise (*Suaeda vera*), le jonc des marais (*Juncus maritimus)* et le *cyrcus maritimus*. Le *limonium* (*Limonium sp.*) *est* également présent, mais il fait actuellement un retour en force.

Figure 5 - Plantes halophytes : a) Morraça (*Spartina maritimus)* ; b) Malmequer-do-mar (*Aster Tripolium*) *;* c) Gramata branca (*Halimione portulacóides)* ; d) *Sarcocornia fruticosa e)* Junco-dasesteiras (*Juncus maritimus*) f) Limónio, (Limonium *sp.)* (juin 2014)

Ces plantes étaient autrefois utilisées par l'homme pour nourrir le bétail (morraça), pour recouvrir les maisons en bois et les "scies à sel" dans les marais salants de l'estuaire du Tage (junco), comme condiment (pousses de certaines herbes conservées dans du vinaigre) et comme plante ornementale (limonium). Ces plantes continuent d'être extrêmement importantes pour l'homme en raison de leur fonction d'oxygénation de l'atmosphère et, d'autre part, les plantes des marais salants consomment et assimilent les nutriments inorganiques provenant des eaux usées ou des effluents domestiques, tels que les nitrates et les phosphates, qui sont décomposés par les micro-organismes présents dans les boues. Après précipitation, les métaux lourds toxiques (mercure, arsenic, cadmium, plomb, cuivre et zinc) sont absorbés et retenus par les racines de ces plantes halophytes, qui contribuent ainsi à purifier les eaux estuariennes. En outre, la végétation des marais est très importante en tant qu'abri et site de nidification pour l'avifaune (Lima, 1997).

En ce qui concerne la faune, seuls quelques animaux parmi les plus représentatifs de l'estuaire seront mentionnés. Les animaux benthiques appelés macrozoobenthos sont très bien représentés et se trouvent dans les sédiments ou dans les anciens bancs d'huîtres (ex : annélides polychètes, *Hediste diversicolor).* Parmi les bivalves, le lambujinha (*Scrobiularia plana*), la palourde (*Ruditapes decussatus*) et la coque (*Cerastoderma edule*) se distinguent.

Les crustacés comprennent le crabe vert (*Carcinus maenas)*, la crevette (*Palaemonetes varians*) et la crevette dorée (*Crangnon crangnon*).

Dans l'ichtyofaune, les estuaires jouent un rôle très important car les poissons utilisent cet écosystème, au moins pendant une période de leur vie, comme une *nurserie*[2] . Cette zone agit comme une sorte de "maternité" où les poissons frayent et trouvent les conditions pour se développer, un facteur très important dans le repeuplement des *stocks* côtiers.

Il existe deux types de poissons : les poissons résidents et les poissons migrateurs. Les poissons résidents sont ceux qui passent tout leur cycle de vie dans l'estuaire, de la naissance à la mort, et comprennent environ 30 espèces. Les plus connues sont : 1) le *goujon* (*Gobius sp. et Pomatoschistus sp*) ; 2) l'*hippocampe* (*Hippocampus sp.)* et la dorade (*Syngnathus sp.)* ; 3) le poisson-roi (*Atherina sp.)* ; 4) le requin (*Halobatrachus didactylus*) ; 5) l'anchois (*Engraulis encrasicholus)*. Bien qu'elles ne présentent pas un grand intérêt économique, ce sont des espèces "bien adaptées" à la salinité et à d'autres facteurs abiotiques, résistantes aux variations extrêmes et, pour la plupart des espèces, à la pollution. Le grondin a un comportement territorial car il construit des nids avec des coquilles pour pondre ses œufs et c'est généralement le mâle qui les surveille.

Les poissons migrateurs ou diadromes sont des utilisateurs de l'estuaire et sont classés en deux catégories : 1) anadromes et 2) catadromes (figure 6-a). Les premiers sont ceux qui vivent en mer à l'âge adulte mais qui dépendent de la rivière pour se reproduire. Ils pondent leurs œufs sur des fonds sablonneux ou graveleux dans les zones d'eau douce. Dans le cas du Tage, ce phénomène a été important dans le passé. Les pêcheurs de Vieira de Leiria, Îlhavo ou Murtosa avaient l'habitude de pêcher l'alose (*Alosa alosa*) ou la lamproie marine (*Petromyzon marinus*). *La* pêche intensive, la pollution, la construction de barrages et la capture avant la ponte menacent ces espèces (Lima, 1997).

---

2 Zone présentant des conditions favorables au frai, à l'alimentation et à la croissance des poissons juvéniles.

Les poissons catadromes sont des poissons qui vivent généralement dans les rivières et qui descendent vers la mer pour pondre leurs œufs, qui éclosent dans un environnement marin. Ils retournent ensuite dans l'environnement fluvial. C'est le cas de quatre espèces de mulets (Lima, 1997) et de l'anguille (*Anguilla anguilla), qui* se reproduisent dans la mer des Sargasses. Leurs larves (leptocéphales) entament un long voyage d'environ 3 ans, transportées par le Gulf Stream jusqu'aux côtes européennes où, à une centaine de kilomètres, elles se métamorphosent en civelles ou en anguilles, pénétrant dans les rivières jusqu'aux lieux d'origine de leurs parents (Dias, 1999).

Le cours le plus en amont du Tage abrite des espèces de poissons sténohalins (figure 6-b).

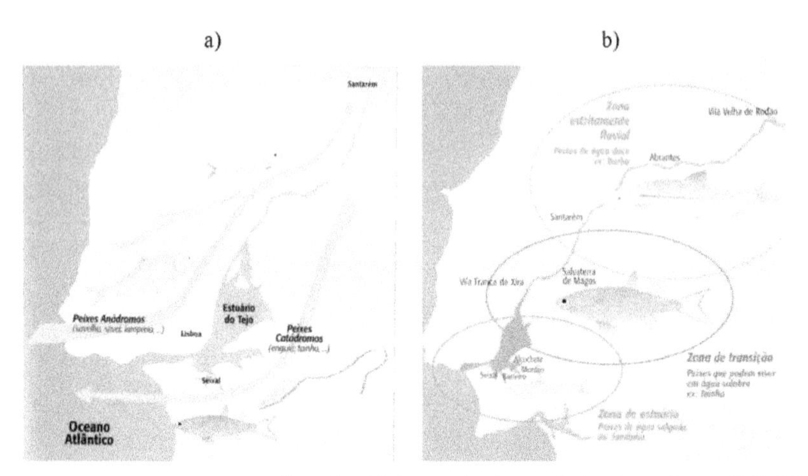

Figure 6 - a) Poissons migrateurs se déplaçant pour frayer ; b) Variation des poissons le long du cours du Tage (Lima, 1997).

L'estuaire est l'un des sites ornithologiques les plus riches, essentiellement pour les oiseaux migrateurs qui y trouvent abri et nourriture et peuvent ou non y nicher. C'est essentiellement en hiver qu'ils choisissent cette zone pour y séjourner (figure 7). Au total, plus de 150 000 oiseaux d'eau, hivernants et passereaux migrateurs s'y concentrent.

Les espèces suivantes sont fréquemment observées : héron cendré (*Ardea cinèrea)*, aigrette blanche (Egretta *garzetta),* cordier (*Recurvirostra avosetta)*, chevalier guignette (*Tringa totanus)*, chevalier gambette (*Caladris alpina),* courlis à bec rouge *(Limosa limosa)*, poule d'eau (*Gallinula chloropus)* et canard colvert (*Anas platyrhynchos)*. Les oiseaux limicoles, les anatidés et les laridés sont abondants dans les zones de marais et de marais salants et utilisent le lit de la rivière.

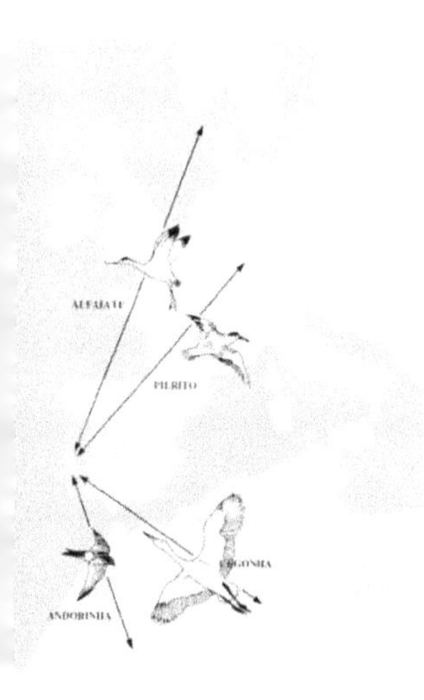

Figure 7 - Itinéraires des oiseaux migrateurs (Lima, 1997)

Les mammifères sont représentés par la loutre d'Europe (*Lutra lutra*), une espèce menacée, les souris et les musaraignes que l'on trouve dans les marais salants et les mares salées. Ils servent de nourriture à certains oiseaux de proie, comme l'effraie des clochers (*Tyto alba*), le faucon crécerelle (Elanus caeruleus) et d'autres oiseaux de proie.

L'importance biologique des estuaires est telle que la Stratégie mondiale de la conservation les considère comme essentiels aux processus écologiques qui soutiennent la vie. A ce titre, l'homme doit prendre conscience que les écosystèmes qu'il exploite et dont il dépend ont des interdits et des limites, et qu'il doit donc respecter le capital de renouvellement des ressources (Dias, 1999).

"Bien gérer, c'est permettre de jouir, de perpétuer... "

António Dias

2.2. L'impact anthropique : un aperçu historique et culturel de l'occupation de la rive sud

L'estuaire du Tage est loin d'être utilisé de manière rationnelle, comme en témoignent la dégradation de la qualité des sédiments et la pollution et/ou la contamination de l'eau, l'artificialisation des berges, les décharges sur les marais salants, l'exploitation non durable des stocks de poissons telle que la surpêche, l'utilisation fréquente d'engins illégaux, etc.

La pollution a entraîné une réduction significative de la richesse biologique de l'estuaire et la forte diminution des *stocks de poissons est* également due à la construction de barrages qui empêchent les poissons migrateurs d'atteindre leurs zones de frai, ainsi qu'à la pêche intensive et non sélective (pratiquée avec des filets très serrés qui capturent les petits poissons juvéniles). La disparition des dauphins du Tage est une conséquence des problèmes de pollution générés dans le passé par le complexe industriel de Seixal, Barreiro et Almada et par les eaux usées urbaines et industrielles de Loures et Vila Franca de Xira. Le grand dauphin, qui a longtemps été une espèce résidente, est de nouveau observé. Cela est dû à l'amélioration de l'eau en raison de sa dépollution avec la construction de stations d'épuration des eaux usées dans tout le bassin du Tage, ainsi qu'à la fermeture de certaines industries polluantes (Chitas, 2014).

L'huître *Crassostreia angulata*, espèce abondante jusque dans les années 1970, a disparu des eaux du Tage en raison de la dégradation de l'environnement, ne laissant que les "coquilles". Aujourd'hui, ces bancs d'huîtres mortes servent d'habitat au minhocao, un polychète largement utilisé comme appât dans la pêche, tout comme son "parent", *Lanice conchilega*, un polychète sédentaire connu sous le nom de cocon de sable (Lima, 1997). La disparition des huîtres est due au tributyl d'étain ($Bu_3\ Sn^+$) présent dans les peintures utilisées sur le fond des bateaux et dans les chantiers navals. Son utilisation continue rend impossible la réintroduction de la célèbre huître portugaise.

Ce composé chimique, connu sous le nom de TBT, est hautement toxique pour les bivalves et la faune ichtyenne et, même à faible concentration, il peut provoquer des anomalies dans la calcification, des perturbations dans l'embryogenèse et dans la croissance larvaire et juvénile des espèces et même provoquer l'imposition du même sexe chez les gastéropodes, entraînant la transformation des femelles en mâles (Bettencourt, 1997).

Des études ont révélé la présence d'autres éléments toxiques dans les eaux de l'estuaire, comme le mercure et le plomb, et d'autres provenant de la pollution industrielle, comme les métaux lourds, les *polychlorobiphényles* (PCB), les hydrocarbures, etc.

Dans le chenal nord, l'une des zones les plus dégradées de l'estuaire, de fortes concentrations de mercure ont été observées dans les sédiments en face de Póvoa de Santa Iria et un pic d'arsenic près de Solvay Potugal. Au sud, dans la zone de Barreiro, les niveaux de métaux lourds et de métalloïdes tels que le plomb, l'arsenic, le mercure, le cuivre et le zinc sont alarmants (Dias, 1999).

Les algues macrophytes, qui servent d'indicateurs de la pollution par le mercure, révèlent une réalité inquiétante et la teneur de ce polluant dans les coquillages est préoccupante. Ceux-ci continuent d'être pêchés illégalement pour la consommation humaine (figure 8).

Figure 8 - Récolte illégale de bivalves sans passer par la criée avec des engins de pêche illégaux tels que l'utilisation de filets à mailles serrées (sennes). Plage de Moinhos, Alcochete (photo de l'auteur, 31 mai 2014).

Il est à noter que l'accumulation de polluants dans les estuaires favorise leur introduction dans les chaînes trophiques, donnant lieu à des phénomènes de **bioaccumulation**. Les polluants qui pénètrent et s'accumulent dans les producteurs sont ensuite transmis à leurs consommateurs, où la concentration du polluant est multipliée par 10 environ.

Dans les années 1950 et 1960, l'installation de plusieurs branches de l'industrie lourde autour de Mar da Palha a détérioré la qualité sanitaire des eaux de la rivière. La principale source de pollution était le complexe industriel chimique de Barreiro, aujourd'hui fermé, qui rejetait des métaux lourds (mercure, arsenic, zinc, cuivre, cadmium, fer et plomb) conduisant à des situations alarmantes. Au cours de cette période, Siderurgia Nacional à Seixal et Soda Povoa à Santa Iria da Azóia ont également contribué à la pollution de l'air. Lisnave, avec une série de petits chantiers navals sur les deux rives de l'estuaire, a également contribué avec des déversements d'huiles, d'hydrocarbures et de résidus de décapants, qui sont extrêmement nocifs pour la vie estuarienne.

Dans la commune de Barreiro, de Lavradio à Coina, la construction et la réparation navales ont pris leur essor au milieu du siècle dernier. Le chêne-liège et le chêne vert étaient utilisés pour la structure (os) des navires, et le pin était le bois le plus utilisé pour recouvrir les coques et les ponts. Le navire naissait avec l'assemblage du squelette, le cavername, qui était étayé de chaque côté au fur et à mesure qu'il prenait de la hauteur. Ce n'est qu'ensuite que les coques étaient enduites et calfatées, au cours d'un long processus qui culminait avec la mise à l'eau du navire. De nombreuses personnes et professions sont nées dans la zone qui est devenue progressivement ce que nous connaissons aujourd'hui sous le nom de Barreiro, la faisant croître en fonction des besoins technologiques de toute une série d'activités subsidiaires.

La construction navale sur ordre royal pour le long voyage était importante pour rehausser le nom du Portugal et pour construire les outils quotidiens des personnes qui vivaient ici sur les plages et travaillaient dans les campagnes à l'extérieur de la barre du Tage. Appelées Muletas do Barreiro (figure 9), ces embarcations étaient un type particulier de bateau construit ici, sur le Tage.

Figure 9 - La Muleta, photo de la collection de photos du CMB par Augusto Cabrita

L'ouverture de la ligne de chemin de fer reliant Barreiro à Setúbal et au sud du pays a ouvert la voie au développement qui allait transformer cette région en l'un des plus grands centres industriels du pays au XXe siècle. D'abord dans l'industrie du liège, puis dans l'industrie chimique et sidérurgique.

Toutes les industries et les usines disposaient de leurs propres quais avec accès au fleuve, où les produits entraient et sortaient. Barreiro est l'une des zones du district de Setúbal où les problèmes environnementaux sont les plus importants. Cette situation a été alimentée par une forte concentration industrielle, qui est l'une des principales sources de pollution de l'air et de l'eau, par la pollution urbaine et par des zones construites denses et désordonnées, aggravées par la facilité avec laquelle les estuaires absorbent les métaux lourds (Luzia, 1994).

L'Uniao Fabril de 1896 a été rebaptisée Companhia Uniao Fabril - CUF en 1906. Son installation a entraîné de profonds changements environnementaux (figure 10), comme le raconte Caetano Beirao da Veiga, un pêcheur local en 1910 : "Barreiro *est déjà* différent en apparence, en mouvement, dans la vibration des rues, dans le rythme nerveux de ceux qui travaillent, dans les hautes cheminées qui fument jour et nuit, dans l'odeur horrible des fumées chimiques qui flottent dans l'air, dans les aspirations sociales impétueuses des centaines de travailleurs qui sont concentrés dans ce colosse industriel, haletant en permanence" (Division de la culture, du patrimoine historique et des musées, CMB, 2012).

Figure 10 - Complexe industriel de CUF à Barreiro en 1970 (http://soplanicie.blogspot.pt/ 2013/01/a- condicao-operaria-no-barreiro.html).

Le succès de cette entreprise est dû à la combinaison de plusieurs facteurs : outre la géographie, avec des liaisons maritimes et ferroviaires garanties, le paternalisme industriel dont Alfredo da Silva a fait preuve à l'égard de ses travailleurs, en créant des mesures d'aide sociale telles que le logement, les services de santé et la formation pour la qualification de la main-d'œuvre, des mesures sans précédent pour l'époque.

Le sel, ressource naturelle de ces eaux, était utilisé comme ingrédient dans les processus de fabrication chimique, en raison de l'utilisation du chlore et du sodium pour différentes productions et du principe consistant à utiliser toutes les substances produites sans les gaspiller. Des matières premières de base y étaient produites, telles que : 1) des engrais, 2) des huiles, des savons et des aliments pour animaux, 3) des produits chimiques et 4) des produits métalliques. En outre, grâce à des réaménagements successifs de l'espace et à l'acquisition de technologies innovantes, des activités complémentaires telles que la métallurgie, le textile, les peintures et la construction navale étaient également produites. Le secteur textile a été marqué par la modernisation des équipements de filature de jute, dans l'usine desquels les premiers métiers à tisser circulaires ont été installés (figure 11).

Figure 11 - Métiers à tisser spéciaux où les tissus de mangue étaient fabriqués, 1961 (Camarao, 2008).

La production d'acide sulfurique (figure 12- a) a servi de base à la production d'autres produits tels que l'acide chlorhydrique (figure 12- b) et le sulfate de sodium.

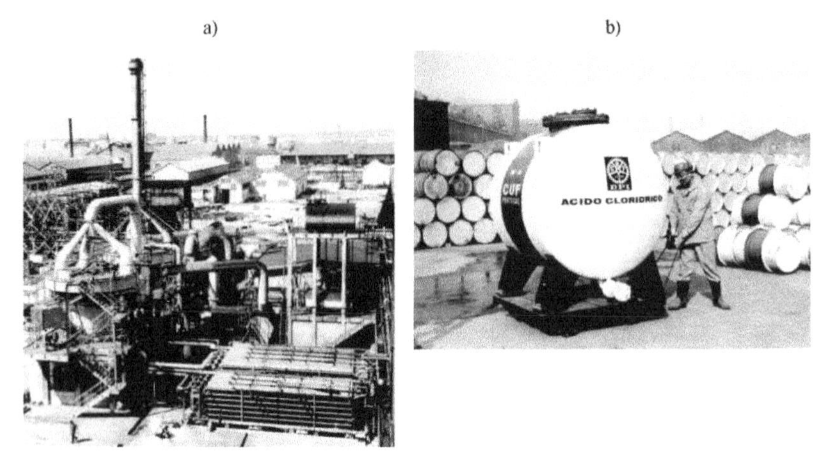

Figure 12 - Vue générale de l'usine d'acide sulfurique "contact IV", qui a commencé à produire en 1961 (200 tonnes/jour). Il convient de noter qu'il s'agit de la première usine de Barreiro à utiliser du soufre pour produire de l'acide sulfurique.

produire de l'acide sulfurique (Camarâo, 2008).

Cette production était alimentée par une centrale *diesel*. Plus tard, une centrale à vapeur avec deux turbines a été construite, qui, en cas d'insuffisance, était soutenue par une chaudière à vapeur. Comme les besoins en vapeur augmentaient, elle a commencé à recevoir le soutien de l'Union portugaise d'électricité (UEP). Dans les années 1970, cette centrale a joué un rôle important dans la fourniture d'énergie thermique et électrique aux industries des fibres synthétiques et des produits chimiques.

La centrale thermoélectrique de Barreiro, installée en 1978, a cessé de fonctionner en 2009 car elle rejetait des gaz à effet de serre dans l'atmosphère. Eletricidade de Portugal (EDP), Gestao da

Produçâo de Energia, a conclu un accord avec Fisipe, Fibras Sintéticas de Portugal, pour construire une nouvelle centrale de cogénération au gaz naturel à Barreiro.

Cette centrale, composée de deux groupes de chaudières à turbine/récupération, a la capacité de produire de la vapeur pour alimenter FISIPE. La centrale est entrée en service industriel le 29 décembre 2009, devenant l'unique fournisseur de vapeur de FISIPE, ce qui a permis à EDP de répondre à la nécessité de fermer l'"ancienne centrale de Barreiro", qui consommait du fioul, réduisant ainsi considérablement les émissions de dioxyde de carbone (CO_2) et d'oxydes d'azote (NO et NO_2) émises dans l'atmosphère. (http://www.energetus.pt/index.php/produtos/motores-diesel/128- barreiro).

La nouvelle société Baia do Tejo est née de la fusion de Quimiparque Parques Empresariais, SA avec SNESGES Administraçao e Gestao de Imóveis e Prestaçao de Serviços, SA et URBINDÙSTRIA Sociedade de Urbanizaçao e Infra-estruturaçao de Imóveis, SA. Elles sont responsables de la gestion des parcs d'activités de Barreiro, Estarreja et Seixal, des centres de développement régional impliqués dans de nouveaux projets de grande envergure dans le pays.

Après un bref voyage dans un passé où les modes de vie ancestraux ont été remplacés par un progrès économique qui a conduit à la destruction de divers écosystèmes, il est urgent de réfléchir à l'avenir et à ce que nous voulons laisser aux générations futures. L'estuaire du Tage a été soumis à des niveaux élevés de pollution, dépassant largement sa capacité d'autodépollution. Les rives nord et sud de l'estuaire ont été urbanisées avec des bâtiments construits sans aucune planification de l'utilisation des sols.

Heureusement, cette réalité est en train de changer. La création de la loi fondamentale sur l'environnement et les plans d'aménagement du territoire, qui obligent désormais l'industrie à se conformer à la législation, ainsi que les préoccupations des municipalités ont tenté de modifier le cadre environnemental décrit ci-dessus et ont conduit à une amélioration des eaux de l'estuaire du Tage.

Sans avoir une vision pessimiste de l'avenir, nous devons "apprendre de nos erreurs" et investir dans l'éducation et la sensibilisation des jeunes à la défense de l'environnement. L'école a un rôle fondamental à jouer dans la transmission de ce "message", en encourageant des attitudes proactives chez les élèves afin de garantir un développement durable pour les générations futures.

3. La réserve naturelle de l'estuaire du Tage (RNET) - Son importance en tant que zone humide estuarienne

La réserve naturelle de l'estuaire du Tage a été créée en 1976 dans le but d'assurer la gestion de l'écosystème estuarien de manière à garantir le maintien de son potentiel biologique. Couvrant les municipalités d'Alcochete, Benavente et Vila Franca de Xira, sur une superficie d'environ 14 416 hectares, la RNET est située dans la partie la plus en amont de l'estuaire du Tage (figure 13).

Figure 13 - Limites de la réserve naturelle et de la zone de protection spéciale de l'estuaire du Tage. Données ICNF

L'estuaire couvre une zone d'environ 320 km^2 , entre Muge et le phare de Bugio, et constitue la plus grande zone humide du Portugal. Il est d'une importance fondamentale en raison de sa contribution au repeuplement en poissons de la côte portugaise et de sa valeur en tant qu'habitat pour les oiseaux migrateurs, en particulier dans les zones qui ont été classées comme réserves naturelles.

Le logo créé pour le RNET reprend l'oiseau "tailleur" (Figure 14). Le nombre d'espèces hivernant dans l'estuaire dépasse souvent 10 fois la valeur qui donne aux zones humides le statut d'importance internationale pour la sauvegarde d'une espèce. L'estuaire du Tage a ce statut pour douze autres espèces, et la réserve naturelle a été reconnue comme zone humide d'importance internationale en 1980, dans le cadre de la liste des sites de la convention de Ramsar.

Figure 14 - Illustration de l'oiseau tailleur par Daniel Ribeiro, un élève du club "Os Amigos da Natureza" (école primaire Alvaro Velho, 9e année), à gauche et le logo RNET à droite.

Du point de vue géologique, la réserve est située dans une région dominée par des dépôts alluviaux modernes provenant de Leziria Sul et de la rive gauche jusqu'à Alcochete. Isolés à la limite orientale de la zone protégée, on trouve les matériaux lithiques d'un cordon dunaire et des formations pléistocènes du bassin du Tage, sur lesquelles se développe une forêt de chênes-lièges.

Le RNET couvre une vaste zone d'eaux estuariennes, de vasières, de marais salés, de pâturages et de terres agricoles (figure 15). La plus grande partie de cette zone est occupée par des eaux estuariennes et des substrats mobiles. La zone essentiellement terrestre est occupée par des terres agricoles qui s'étendent à travers les mouchoes, la bordure de la Leziria méridionale et la zone de Pancas.

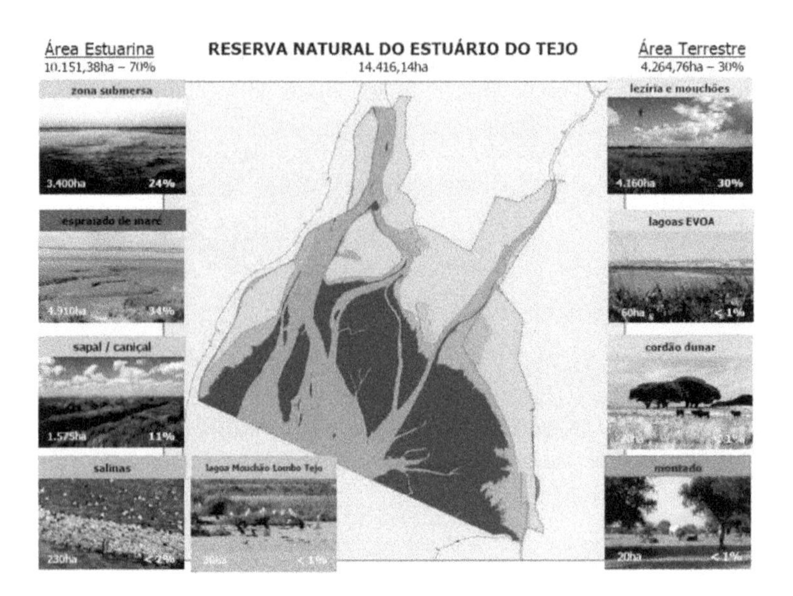

Figure 15 - Illustration des milieux dominants dans le RNET (dans le séminaire "Le RNET et la région environnante - potentiel de développement local durable", 15 mai 2014).
potentiel de développement local durable", 15 mai 2014).

Dans le cadre de la mise en œuvre du réseau Natura 2000 visant à préserver la biodiversité européenne, une partie importante de l'estuaire du Tage et de ses environs a été classée comme zone de protection spéciale (ZPS) pour les oiseaux sauvages (directive "Oiseaux") par le décret-loi 280/94 (figure 13). Par la suite, l'arrêté ministériel 829/2007 l'a également reconnue comme site d'importance communautaire (SIC) - directive "Habitats". La zone intégrée au réseau Natura 2000, dont les codes de classification sont PTZPE0010/PTCON0009 - Estuàrio do Tejo, couvre l'ensemble de la réserve naturelle et les terres environnantes, qui sont également très importantes en tant qu'habitat pour diverses espèces. Ces terres comprennent : les marais salants de Samouco et la zone intertidale adjacente, le reste de la Leziria méridionale, les marais de Barroca et de Vale do Cobrao et une partie de la dehesa sur la rive sud.

En dehors du RNET, mais sur un territoire classé ZPS/SIC, il existe des infrastructures qui favorisent la diffusion de ses valeurs écologiques.

À l'extrémité de Leziria Sul, l'EVOA (Birdwatching and Visiting Area) a été installée (figure 16). Elle a été conçue par le *Wildfowl and Wetlands Trust (WWT)*, une organisation qui possède une grande expérience dans la conception et la gestion des zones humides.

Ouverte au public depuis avril 2013, l'EVOA permet de visiter un site patrimonial unique entre la Leziria et l'estuaire du Tage, comprenant trois zones humides d'eau douce à différentes profondeurs, un centre d'interprétation de l'environnement et la saline de Saragosse.

Figure 16- Centre d'interprétation environnementale EVOA (Photo de l'auteur, 5 octobre 2014)

Dans la municipalité de Vila Franca de Xira, le Centre d'interprétation de l'environnement et du paysage, situé sur la rive estuarienne de Póvoa de Santa Iria, a été inauguré en 2014.

Dans la municipalité de Benavente, la Pequena Companhia (Companhia das Lezirias) mène des activités d'interprétation et de loisirs dans la lande, en promouvant la connaissance du montado et des cultures agricoles et d'élevage de la propriété (vignes, oliveraies, rizières, élevages de bovins et de chevaux) et en développant des activités équestres.

La ville d'Alcochete abrite le siège et le centre d'interprétation de la réserve naturelle de l'estuaire du Tage. À l'extrémité orientale de la marge estuarienne de la commune, aux portes de la réserve naturelle, se trouve le Centre d'animation environnementale du Sitio das Hortas (SH-PAA), d'où l'on peut voir la plus grande étendue de marais salés de l'estuaire, où il est facile d'observer un nombre important d'espèces halophytes et un grand nombre d'oiseaux qui se nourrissent dans les embarcations et les chenaux pendant le reflux. Les bateaux à fond plat utilisés pour naviguer dans les zones basses de l'estuaire, dont certains sont en bois et portent encore les peintures traditionnelles, peuvent également être vus ici gratuitement (figure 17).

Figure 17- Bateaux au Sitio das Hortas (prêté par Helena Silva)

La Fondation pour la protection et la gestion environnementale des salines de Samouco (FPGASS), décrite au point 4.1 du chapitre 1, se trouve également dans la municipalité d'Alcochete, à l'extrémité ouest de sa marge estuarienne.

"Ce sont les larmes du piédestal de cet homme du passé qui est resté Les baies blanches de sel Que le peuple a transformées en avril"

António Rei - CMA, 1988

4. L'estuaire et la saliculture

La production de sel - la saliculture - est l'une des activités les plus anciennes de l'économie nationale et, malgré son déclin actuel, elle était autrefois très importante. D'un point de vue géographique, presque toutes les municipalités du bassin du Tage possédaient des marais salants et la plupart d'entre eux étaient associés à de grandes propriétés rurales (figure 18).

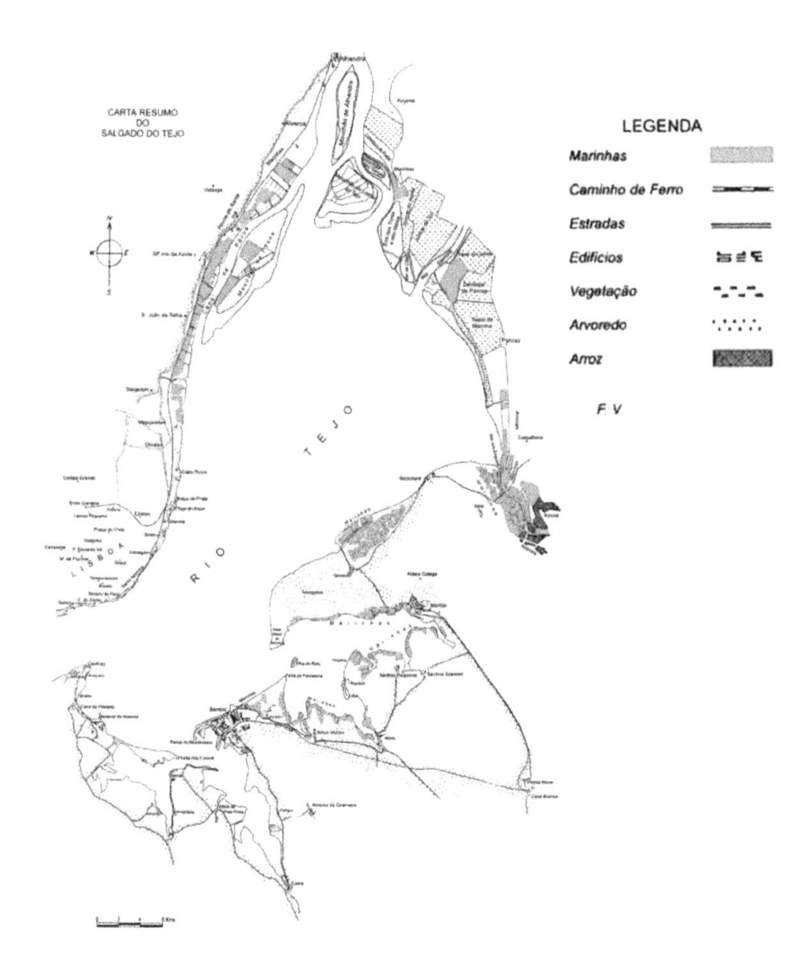

Figure 18- Carte de synthèse des salines du Tage (Dias, 1999).

En 1790, il y avait 245 marines[3] sur le Tage, qui produisait 104 900 moulins[4] de sel par an (Dias, 1999).

La réputation du sel portugais était énorme en raison de sa couleur extrêmement blanche et de sa faible teneur en substances insolubles. Au niveau national, le sel était utilisé dans les activités domestiques, dans l'industrie et pour approvisionner la flotte nationale de pêche à la morue. Il était exporté vers des pays européens tels que la France, la Hollande, la Norvège, la Suède, la Grande-Bretagne et le Danemark (Dias, 1999).

L'industrie du sel, qui représentait autrefois une part très importante de l'économie, a perdu de son

3 Salinas
4 Mesure utilisée par les paludiers, équivalente à 750 kg.

poids au cours du 20e siècle (tableau 3). Plusieurs facteurs ont contribué à son déclin, notamment le manque de main-d'œuvre, la concurrence du sel étranger à bas prix et le remplacement de la salaison par des chambres froides pour la congélation du poisson (Rosa Azevedo, 2001).

Tableau 3 - Production annuelle de sel portugais au cours de certaines années du XXe siècle. Données de Mario Bolseiro Dias, Economia maritima de Aldeia galega do Ribatejo (Camarao, 2008).

Années	Tonnage de production
1932	9900
1957	8639
1968	6044
1970	3397
1980	2622
1989	500

"Les marais salants font depuis longtemps partie du paysage marginal de l'estuaire, révélant un lien fort entre les riverains et leur fleuve. En outre, les marais salants abritent une grande biodiversité, car ils constituent un lieu de protection et une réserve alimentaire pour de nombreux organismes. Sauvegarder ce patrimoine, c'est protéger une zone de beauté naturelle et maintenir une partie de notre identité culturelle" (Dias, 1999).

4.1. Les salines de Samouco - Zone de protection spéciale (ZPS)

"...c'est le dernier qui donne du sel aux montagnes..."

João Ferrão

Sa situation périphérique et ses difficultés d'accès ont contribué à préserver la municipalité d'Alcochete de l'essor de l'industrie lourde qui a commencé à s'implanter sur la rive sud du Tage au milieu du 20e siècle (Soares, 2001).

Le complexe Salinas do Samouco à Alcochete comprenait autrefois 57 marinas. Aujourd'hui, seule la "marinha do canto" de la Fondation pour la protection et la gestion environnementale des salines de Samouco (FPGASS) est active tout au long du Tage. Elle produit une petite quantité de sel artisanal afin de ne pas perdre définitivement cette culture.

La Fondation a été créée pour minimiser l'impact environnemental de la construction du pont Vasco da Gama par Lusoponte. Il a ensuite été convenu d'exproprier ces 360 hectares de terres, en vue de les gérer et de conserver la nature pendant une période de trente ans. À cette époque, la plupart des marais salants avaient été abandonnés. L'intégration des salines de Samouco dans la ZPS était un atout pour la préservation de cette zone. En février 2002, Lusoponte, le Conseil municipal d'Alcochete (CMA) et l'ICNF se sont associés à des organisations non gouvernementales de protection de l'environnement pour faire en sorte que l'intervention soit bien accueillie et que les objectifs soient partagés avec la société civile.

Le complexe des marais salants de Fundaçao est essentiellement constitué d'une série d'étangs séparés par des digues artificielles et des citernes. On y trouve également des zones agricoles, une petite parcelle de forêt et de petites parcelles de marais salants et de végétation dunaire. Les flamants roses sont les oiseaux aquatiques les plus populaires (figure 19) et ont été choisis pour le logo de la Fondation.

Figure 19 - Flamants sur le Tage, près du pont Vasco da Gama (Photo avec l'aimable autorisation de la Fondation pour la protection et la gestion environnementale des Salinas do Samouco).

Cette zone est extrêmement importante pour les oiseaux migrateurs qui s'y nourrissent et s'y abritent pendant l'hiver et les passages migratoires, et qui peuvent également y nicher, à savoir : le chevalier guignette (*Himantopus himantopus*), le chevalier gambette *(Sterna albifrons*) et le bihoreau gris (*Charadrius alexandrinus*) (Figure 20).

Figura 20 a) Chevalier gambette (*Himantopus himantopus)* ; b) Courlis cendré (*Sterna albifrons) ; c) Pluvier* annelé (*Charadrius alexandrinus*) ; d) Pluvier annelé.

FPGASS)

Plus de 90 espèces d'oiseaux passent par les marais salants. En hiver, plus de 15 000 oiseaux différents peuvent être observés régulièrement : échassiers, ardéidés, anatidés, rapaces et passereaux. Parmi les échassiers les plus abondants, on trouve le courlis corlieu, le bécasseau variable, le chevalier guignette, le pluvier gris et le chevalier guignette. Quant aux anatidés, les plus communs sont le canard colvert, le canard trompette et la sarcelle d'hiver.

Dans les champs agricoles environnants, on trouve quelques espèces d'amphibiens et de reptiles, comme le crapaud commun, le maquereau, le serpent-rat, le lézard des buissons et le renard vert, ainsi que de petits mammifères comme le mulot, le rat brun, le lapin, le hérisson, la belette et même le renard.

En ce qui concerne la biodiversité végétale, la végétation halophyte, c'est-à-dire les plantes résistantes à une salinité élevée, est naturellement la forme dominante, et les principales formes ont déjà été décrites au point 2.1 du chapitre 1.

Pendant l'hiver, les marais salants restent inondés. En mars, les travaux de nettoyage du fond des bassins et de remise en état des barachas ou chemins de traverse commencent (figure 21).

a) b)

Figura 21 - Entretien des marais salants de Samouco a) Nettoyage des réservoirs b) Préparation des bassins (Photos avec l'aimable autorisation de la FPGASS).

L'eau de l'estuaire du Tage envahit les marais et les fossés pendant l'inondation (marée haute). Lorsque le niveau du Tage est supérieur à celui des marais salants, les vannes s'ouvrent. Les écluses sont constituées d'une chicane et d'une glissière (figure 22-a). La glissière est soulevée pour que l'eau puisse passer dans l'étang (figure 22-b). Le parcours de l'eau est le suivant : pépinière, réserves de contre-chauffe, chaudière de broyage et enfin boucherie de cristallisation.

a)

b)

Figura 22 - a) Sluice et gouttière b) Passage de l'eau vers la pépinière (Photos avec l'aimable autorisation de la FPGASS).

Cette eau remplira un réservoir appelé **étang** qui alimentera les marais salants en été. Lorsque l'eau entre dans l'étang, diverses espèces de poissons et de crustacés (bar, daurade, manchot, thazard, anguille, mulet, grondin, daurade, crabes, crevettes) y pénètrent également. L'eau circule de l'étang vers les bacs de broyage et de là vers les bouchers cristallisoirs. Les niveaux d'eau varient entre 20 et 50 cm, et peuvent atteindre plus d'un mètre de profondeur dans l'étang.

Le passage est déchargé par de petites portes en bois (figure 23 a-b).

a) b)

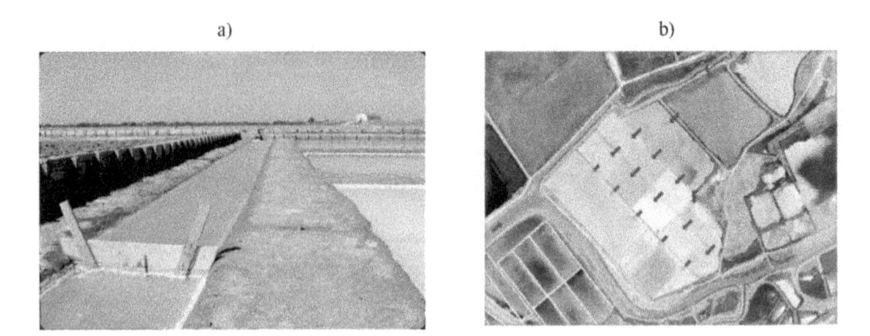

Figura 23 - a) Circulation de l'eau vers les bouchers b) Schéma de circulation dans le bac à sel (Photos avec l'aimable autorisation de la FPGASS).

C'est dans ces bassins de cristallisation divisés par des barachas (appelés localement barachoes) que se produit la précipitation du NaCl, comprenant 3 à 4 gradients de salinisation (tableau 4).

Tableau 4 - Niveaux de précipitations de NaCl (salinisation) dans les salines de Samouco (données FPGSS)

Niveau de salinisation	**NaCl (g/L)**
Faible	30 a 40
Moyenne	70 a 140
Haut	> 150
Saturation	>300

Les cristaux de sel se forment dans des conditions idéales de température et de vitesse du vent, et grâce au processus de "rasage du sel" à l'aide d'un outil en bois, la raclette (figure 24-a), ils sont placés dans les barachas pour sécher pendant quelques jours (figure 24-b). La fleur de sel est récoltée à la surface à l'aide d'un filet (figure 24-c), car il s'agit d'un sel beaucoup plus fin qui est mis à sécher sur des plateaux spéciaux (figure 24-d). Si les conditions météorologiques le permettent, l'extraction du sel se poursuit jusqu'au début du mois de septembre, puis jusqu'au mois de mars de l'année suivante, lorsque le processus de nettoyage des cuves recommence.

Figure 24 - a) Salinier rasant le sel avec une raclette ; b) Séchage du sel dans les barachas ; c) Filet pour la collecte de la fleur de sel ; d) Plateau pour le séchage de la fleur de sel (Photos avec l'aimable autorisation de la FPGASS).

Une fois sec, le sel est transporté vers une scie à sel (figure 25) recouverte de roseaux ou de plastique pour le protéger de la pluie. Il est ensuite mis en sac et stocké dans la "maison du sel".

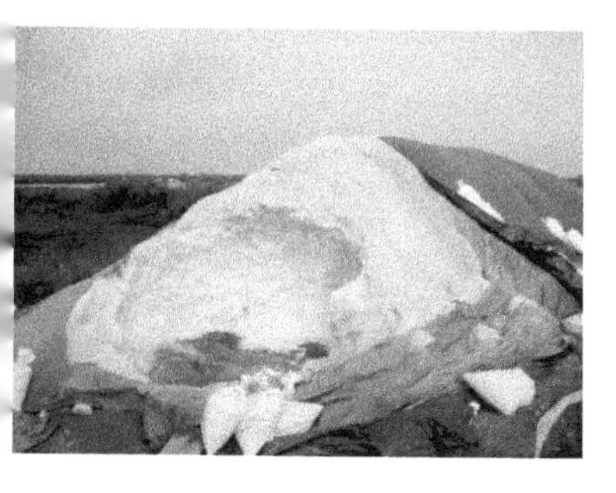

Figure 25 - Serra de Sal (Photo de l'auteur)

La petite quantité de sel produite manuellement à Samouco est utilisée pour l'approvisionnement local et pour la vente aux piscines où elle est utilisée comme substitut du chlore. Il alimente également les serres de l'exploitation "Salicornia production" (figure 26). La salicorne est produite par les producteurs agricoles Magna Cardoso et Jacob Harthoorn et est exportée vers plusieurs pays, dont la France et les Pays-Bas. Au Portugal, elle n'est utilisée que dans quelques restaurants *gastronomiques* de Lisbonne et de l'Algarve. En plus d'être comestible, il est utilisé comme substitut du sel et à des fins médicinales et pharmaceutiques. Ses graines peuvent être utilisées pour fabriquer du biodiesel (https://www.facebook.com/alcochetesalicornia?fref=ts).

Figure 26 - Serres de production de salicornes (Photos fournies par Magna Cardoso, productrice de salicornes, le 23 avril 2014).

Outre la production de sel, d'autres activités ont lieu dans les Salinas do Samouco, comme le baguage d'oiseaux à des fins d'étude scientifique et l'*observation des* oiseaux, car c'est un excellent endroit pour observer les oiseaux. L'acquisition d'une petite population d'ânes "mirandeses" avait pour but de stimuler les activités d'éducation à l'environnement pour les écoles et la communauté locale.

Pendant la saison de production du sel, les marais salants organisent des activités de "ratissage du sel", ouvertes au public, au cours desquelles Joao Matias, salinier de longue date, explique l'ensemble du processus. À côté des marais salants se trouve le bâtiment en ruine de l'ancienne usine de séchage de la morue (figure 27). C'est ici que le poisson était déchargé et salé directement avec le sel produit dans ces marais salants.

Figure 27 -a) Porte de l'usine de séchage de morue ; b) Détail de la tuile sur la porte ; c) Ancienne usine de séchage de morue, aujourd'hui abandonnée ; d) salles de séchage de morue (Photos du 25 février 2014).

"La disparition des marais salants à laquelle nous assistons entraîne la destruction du paysage, du métier de paludier, des valeurs culturelles liées à la connaissance et à la pratique de leur exploitation, ainsi que l'élimination ou la réduction de la valeur d'habitats importants (pour la nidification, le refuge et l'alimentation) pour les oiseaux aquatiques et toute la biodiversité qui s'y trouve" (Dias, 1999).

Chapitre 2 : Expérience professionnelle

"L'éducation doit être personnalisée : elle doit s'efforcer de valoriser l'originalité en proposant des cours d'initiation aux différentes disciplines, activités ou arts, et en confiant cette initiation à des spécialistes capables de communiquer leur enthousiasme aux jeunes et de leur expliquer leurs propres choix de vie. "Rapport Delors

Plus que la pêche ou la cueillette de coquillages, c'est le sel qui caractérise le plus la relation des Lavradienses avec le fleuve. Ângela Luzia

1. Éducation à l'environnement à l'école primaire Alvaro Velho 2,3

L'Escola 2,3 de Bàsica de Alvaro Velho, située dans la paroisse de Lavradio, a été construite dans une zone où se trouvaient autrefois des marais salants (figure 28), lorsque la Quinta de Serrado ou Cerrado a été démolie dans les années 1960, en face du couvent de Lóios.

Figure 28 - Salines qui existaient autrefois sur l'Avenida das Nacionalizaçoes (http://cidadaodolavradio.blogspot.pt)

Jusqu'en 1910, Lavradio se caractérisait par un front de mer fluvial, entrecoupé de marais salants, où l'on produisait du sel dans des marinas. À l'intérieur des terres, la paroisse pratiquait une culture intensive de céréales, de légumes et de vignes. À l'époque, le vin et le sel étaient les piliers de l'économie locale.

La pêche et les activités annexes étaient importantes dans la commune, contribuant à l'approvisionnement quotidien de Lisbonne. Cependant, ce sont les huîtres et les lambujinhas ou lamujinha (proche parent de la palourde) qui ont gagné en célébrité à Lavradio, que certains auteurs désignent comme l'un des endroits où les huîtres sont les plus abondantes au Portugal (Luzia, 1994). Traditionnellement, pendant la semaine sainte, le vendredi ou le samedi saint, comme on ne pouvait pas manger de viande, on organisait des pique-niques d'huîtres et de coquillages dans les fermes locales : les "assadas de ostras" (rôtis d'huîtres), accompagnés de vin bâtard des producteurs locaux.

Les éléments caractéristiques du paysage de Lavradio étaient les marais salants (figure 28), les terres céréalières, les pâturages naturels et, surtout, les vignobles, qui se distinguaient par leur vin "bastardinho".

En 1958, il y avait dix salines à Lavradio : "Elles ont été vendues, avec les étangs, les citernes et les murs, et abandonnées à Dieu : Puis ils ont été mis en décharge, et bien, sans laisser la moindre trace de l'odeur salée à l'extérieur, à partir des années 1960 (ceux du site de Quimiparque étaient antérieurs de plusieurs années) jusqu'à l'an 2000, lorsque les Lóios (qui avaient autant de bouchers qu'il y a de jours dans l'année, 365, comme le dit mon ami Silvano da Costa Baptista) sont devenus les derniers marais salants à disparaître, mais pas de la carte de notre histoire" (Saraiva, 2005).

Le choix de Barreiro au lieu d'Aldeia Galega (Montijo) comme *terminus* du réseau ferroviaire au sud du Tage a fini par être décisif pour la configuration et la perception du paysage dans lequel se trouve Lavradio. Le chemin de fer exportait essentiellement du sel, des pommes de terre et des explosifs, et recevait en retour du liège et du charbon pour les usines existantes. L'avènement du chemin de fer a donné lieu à un développement historique décisif non seulement pour Barreiro, mais aussi pour le pays.

La création d'industries par la Companhia Uniao Fabril (CUF) le 19 septembre 1908, sous l'impulsion de l'homme d'affaires entreprenant et audacieux Alfredo da Silva, a conduit à une véritable révolution industrielle : "Ce que le pays n'a pas, CUF le crée".

Après 106 ans de cette "révolution" industrielle à Barreiro, accompagnée d'un énorme développement technologique, de la production de richesses, de luttes et de mouvements ouvriers, et de la modernité, les générations de Portugais qui ont travaillé, vécu et apporté leurs efforts et leur valeur ici ont encore le droit à la mémoire.

Aujourd'hui, il n'y a plus de salines en activité dans la commune de Barreiro. Comme le sel, le vin a également disparu de la paroisse de Lavradio. Il n'en reste que des souvenirs et quelques archives.

Le 25 avril 1997, le conseil paroissial de Lavradio, reconnaissant l'importance de cette activité dans l'économie locale, a décidé de rendre hommage au paludier en plaçant une sculpture de Pedro Miranda Dias à l'entrée de la ville. À Lavradio, il existe une rue appelée "Rua do salineiro" (rue du salinier), située sur le terrain de la marine de Lóios, à côté du centre de santé de Lavradio, près de l'Avenida das Nacionalizaçoes, en hommage à ceux que l'on appelle les marnoteiros ou marnotos - les paludiers.

En outre, à l'arrière du bâtiment de notre école - Escola Bàsica 2, 3 de Alvaro Velho - un panneau de mosaïque (figure 29) a été installé en l'honneur de l'industrie du sel, réalisé par l'enseignante Maria José Ildefonso avec la collaboration de ses élèves.

Figure 29 - Panneau de mosaïque placé à l'arrière de l'école par Maria José et ses élèves. Photo de l'auteur

Dans le cadre du projet éducatif de l'école "Citoyenneté et développement durable, penser global, agir local", il est apparu nécessaire de faire connaître la région dans ses caractéristiques physiques et historico-culturelles. De plus, afin de préserver l'avenir de l'ensemble du patrimoine local, il est essentiel de faire connaître et de sensibiliser les jeunes à adopter des attitudes écologiques. Le développement de ce thème a conduit à la création du club des "Amis de la Nature" dans le but de travailler sur divers projets concrets dans le domaine de l'éducation à l'environnement, avec des organisations locales et nationales comme partenaires.

1.1. Le club des amis de la nature

Le Club est né d'une petite " graine ", sans doute autochtone, apportée par le vent, l'eau du Tage ou même, qui sait, par les oiseaux, qui a insisté pour germer et a surmonté toutes les adversités qui se sont présentées ! Conçu dans le cadre de l'action de formation : "Introduction à l'observation et à l'identification des oiseaux", avec la Société portugaise pour l'étude des oiseaux (SPEA), il a fait l'objet d'un travail d'évaluation final, présenté le 24 mai 2013. Le projet de mise en place du club à l'école a été approuvé par le Conseil Pédagogique à la fin de l'année scolaire, mais en septembre, lors de la distribution des emplois du temps, il n'a pas été inclus dans l'emploi du temps alloué. Compte tenu du travail personnel investi dans ce projet, il a été proposé que, s'il y avait des élèves inscrits, le club fonctionnerait, bien entendu avec l'accord de la direction de l'école.

Il y a aussi la difficulté de trouver une salle disponible pour les cours du club. Bien que la plupart des activités se déroulent à l'extérieur, lorsque le temps ne le permet pas, un espace est nécessaire à l'intérieur de l'école. Un petit espace a été improvisé à l'intérieur de la bibliothèque de l'école pour travailler et stocker le matériel produit. Cet espace s'est avéré très attrayant et a été appelé le "coin nature" (figure 30) parce qu'il présente les travaux et les informations sur le club.

Figure 30 - "Coin nature", à l'intérieur de la bibliothèque de l'école (octobre 2013)

Le club a "décollé" en octobre 2013 avec dix-sept élèves de troisième (deux élèves de septième, un élève de huitième et quatorze élèves de neuvième). Le premier défi du club a été d'ouvrir un concours de construction de modèles 3D d'oiseaux. Ce concours a été étendu à tous les élèves de l'école et le niveau de participation et l'imagination des participants ont été surprenants.

La grande implication des étudiants a été rejointe par un groupe d'enseignants et de membres du personnel qui ont collaboré et contribué à l'organisation d'expositions, de conférences, de films et d'autres activités. En outre, la direction de l'école a toujours été ouverte aux questions environnementales et a collaboré en apportant son soutien à tous les travaux présentés.

Le club a permis de mettre en œuvre des activités d'éducation à l'environnement non seulement dans le domaine des sciences naturelles, mais aussi dans d'autres matières, ce qui lui a conféré une approche transversale et multidisciplinaire. Les attitudes écologiques ont été essentiellement travaillées avec des cours en dehors de l'école qui ont permis aux élèves de travailler sur *le terrain* avec beaucoup d'engagement et de motivation. L'échange de cycles (1er, 2ème et 3ème cycles) a été très productif. Pour les élèves les plus âgés, il s'agissait d'une forme de responsabilisation et pour les plus jeunes, d'une approche différente et appréciée, comme l'illustre l'activité de la figure 38.

Voici un tour d'horizon des activités décrites dans le *blog* et réalisées dans le club au cours de l'année scolaire 2013/2014 :

- Concours "Oiseaux en 3D" avec des matériaux réutilisés, sponsorisé par la SPEA et avec un vote *en ligne* sur le portail de l'école qui a permis aux familles de participer ;

- Exposition de photographies d'oiseaux (fournie par la photographe environnementale Faisca) : "A look at our birds", ouverte à la communauté scolaire, y compris les parents et les soignants, et rapportée dans le journal local "Rostos", "Folha Viva", le magazine *en ligne* du CMB et le *bulletin d'information* SPEA n° 485 :

http://www.rostos.pt/inicio2.asp?cronica=15000007http://issuu.com/folhaviva/docs/folha_viva_12-03 pages uniques http://www. spea.co.uk/fotos/editor2/sol 485. pdf

- Célébration de la Journée mondiale du gland, le 10 novembre, avec le semis de glands, la distribution de paquets de glands et la projection du film "La forêt n'est pas qu'un paysage" ;

- Exposition des oiseaux en 3D à la galerie du RNET à Alcochete et au centre environnemental de Mata da Machada et Sapal de Coina avec les oiseaux des élèves ;

- Application de la méthode IBSE avec de petits projets liés à l'estuaire du Tage (réalisation du poster "Les plantes des marais"), réalisation de fiches de travail, jeu éducatif quiz4you sur les océans, visionnage de films.

- Excursion dans les salines de Samouco pour observer la biodiversité et réaliser le projet "Les salines viennent à l'école" ;

- Mise en place de nids dans les arbres de l'école et intervention de l'enseignant responsable du club sur la mise en place et l'importance des nids d'oiseaux - Articulation avec le 1er cycle ;

- Semis d'arbres et de légumineuses, en collaboration avec EcoEscolas, dans le cadre du Club européen ;

- Conférence donnée par le projet Life + MarPro de la SPEA (Société portugaise pour l'étude des oiseaux) pour sensibiliser à la conservation des espèces d'oiseaux de mer et de cétacés ;

- Participation au concours de courts métrages sur l'environnement organisé par l'Association portugaise pour l'éducation à l'environnement (ASPEA) avec le film "Des rivières aux océans, en passant par la réserve naturelle de l'estuaire du Tage", tourné dans les marais salants de Samouco ;

- Commémoration de la Journée internationale de la biodiversité, le 22 mai, avec une conférence donnée par l'Agence régionale de l'énergie pour sensibiliser aux économies d'énergie et au changement climatique. Une exposition sur la biodiversité a également été organisée par le comité du festival Avante.

Célébration de la Journée mondiale de l'environnement, le 5 juin, au parc biologique de Gaia, avec la réception du prix du vote du public dans le cadre du concours national de courts métrages sur l'environnement. Présentation de notre travail et visionnage des travaux d'autres écoles. Visite guidée du parc biologique dans l'après-midi ;

Visite des marais salants de Samouco pour une activité de rasage du sel, le 7 juillet, où les élèves ont été "Salineiros d'un jour" ;

Un déplacement aux Jornadas do Ambiente de Seia pour participer au Cine-Eco de Seia et une visite du centre d'interprétation de la Serra da Estrela le 10 octobre 2014 sont prévus (prix du concours de courts-métrages environnementaux).

Le bilan du fonctionnement du club est très positif, mais il est important de souligner les principales difficultés rencontrées, notamment celles liées à la charge de travail supplémentaire :

- Le manque de temps disponible pour gérer le club et préparer les activités, étant donné que l'enseigne en même temps à cinq classes de neuvième année ;
- Responsabilité, non partagée, de la logistique liée aux voyages scolaires (transport, autorisations, assurance scolaire et contacts nécessaires (en personne, par téléphone et par courriel).

L'indisponibilité de fonds pour les frais de voyage et les excursions (pour compenser, l'une des excursions a été payée en trois fois pour faciliter le paiement par les parents).

.1.1 "Sur la vague de la sensibilisation à l'environnement".

Le projet biennal (2013-2015) **"Na onda da Sensibilização Ambiental" (Sur la vague de la sensibilisation à l'environnement)** est né dans le cadre de la création du club "Os Amigos da Natureza" (Amis de la nature) et travaille chaque fois que possible en partenariat avec les éco-écoles. L'objectif principal de ce projet est de promouvoir l'éducation à l'environnement à travers une variété d'activités qui motivent les élèves à aimer et à respecter la nature, en vue de mettre en œuvre des pratiques saines et écologiques dans l'optique de la durabilité de la terre.

Au cours de l'année scolaire 2013/2014, différents thèmes ont été travaillés qui ont permis aux élèves de découvrir la biodiversité de l'écosystème estuarien du fleuve Tage, avec les projets suivants :

> **Salinas vient à l'école** (Étude d'un écosystème estuarien - Durabilité et préservation des zones humides de l'estuaire du Tage)

> **Un regard sur nos oiseaux**

> **Une graine...un avenir**

Dans la mesure du possible, les cours pratiques se sont déroulés en dehors de l'école, en utilisant le matériel et les ressources nécessaires aux différentes activités (par exemple, jumelles, cartes, guides de terrain, carnets de terrain). Au cours de l'année scolaire 2014/2105, ces projets se poursuivront et de nouveaux projets seront ajoutés au fur et à mesure qu'ils se présenteront.

"Les marais salants viennent à l'école" : l'objectif principal de ce projet est de reconnaître l'intérêt du patrimoine naturel de cette région, qui a conduit à son inclusion dans la zone de protection spéciale du Tage, déclarée dans le cadre de la directive sur les oiseaux.

La visite de terrain aux salines, le 25 février 2014, a permis un contact direct avec la nature et une connaissance *in situ de* la biodiversité caractéristique de cet écosystème qui a fonctionné comme " un laboratoire à ciel ouvert ". L'opportunité de faire du *birdwatching aura* contribué à une meilleure connaissance de l'avifaune (Figure 31-a) de cette ZPS et aura permis de reconnaître l'importance de cet habitat pour les oiseaux migrateurs, essentiellement des espèces hivernantes, qui y trouvent abri, nourriture et sites de nidification. Les étudiants ont vu pour la première fois des espèces aquatiques qu'ils n'avaient jamais vues auparavant, ainsi que certains aspects importants de la dynamique de cet écosystème.

Ils ont appris à apprécier cette zone humide et ont fait preuve d'un changement de conception, puisqu'ils pensaient initialement qu'il s'agissait d'un écosystème de boue où il n'y avait pratiquement pas de vie. Les participants ont également approfondi leurs connaissances sur les plantes halophytes et ont eu l'occasion de goûter à la salicorne, une plante halophyte comestible. Ils ont également appris la capacité de ces plantes à retenir les métaux lourds dans leurs racines. Ils ont également réalisé une activité d'aromatisation du sel (figure 31-b) avec des herbes aromatiques de leur choix. Cette sortie sur le terrain a permis une approche pluridisciplinaire de l'éducation à l'environnement, puisque des enseignants de différentes disciplines ont participé et préparé des activités dans le cadre de leur matière, qu'ils ont poursuivies en classe. Le planning et le guide d'activité correspondant se trouvent à l'annexe 1.

Cette visite a motivé l'utilisation de la méthodologie "*Learning Outside Classroom*" (LotC) dans le cadre d'une approche de l'*enseignement des sciences basée sur l'investigation* (IBSE) en utilisant les plantes des marais salants (voir l'annexe 2).

Cette sortie a été filmée pour un "court métrage" afin de faire connaître cet espace aux élèves qui n'ont pas participé à la sortie. Cependant, il a fini par être diffusé au niveau national, car il a été l'occasion de participer au projet "*Rivers and Oceans : Routes and Stories"* de l'ASPEA, qui a organisé un concours pour faire connaître le film.

à laquelle nous avons soumis notre court métrage qui a remporté la catégorie du vote public *en ligne*. Vous pouvez trouver le film à l'adresse suivante : :

https://www.youtube.com/watch?v=CtjLSSkFW_c

Le prix décerné consistait en un voyage au centre d'interprétation de la Serra da Estrela et au cinéma Seia Eco le 10 octobre 2014. En outre, l'ASPEA a organisé une réunion au parc biologique de Gaia dans le cadre des célébrations de la Journée mondiale de l'environnement (5 juin), ce qui a donné aux élèves l'occasion de participer à l'événement et de découvrir le travail réalisé par des collègues d'autres écoles sur le thème de l'environnement et de faire une visite guidée du parc biologique de Gaia.

Les élèves du club ont effectué une deuxième sortie le 20 juin aux salines de Samouco, au cours de laquelle ils ont pu découvrir l'histoire et la culture de la saliculture. Dans l'estuaire du Tage, les salines de Samouco sont les seules à produire du sel et constituent le seul vestige d'une activité ancestrale en voie d'extinction. Individuellement ou en groupe, ils ont manipulé des objets liés au processus de production du sel (activités *pratiques*). Ils ont été "saliniers" pendant une journée, rasant le sel (figure 31-c), le pesant et l'emballant (figure 31-d). Une activité de rasage du sel (avec 30 inscriptions) était prévue le 6 septembre pour le reste de la communauté scolaire, les enseignants et le personnel. Cette activité a été annulée en raison des conditions météorologiques, les fortes précipitations n'ayant pas permis de réunir les conditions nécessaires à la formation du sel.

Figure 31 - a) étudiants *observant les oiseaux* avec des jumelles et un télescope ; b) aromatisant le sel avec des herbes aromatiques ; c) rasant le sel avec une raclette ; d) ensachant le sel pour la vente.

Après avoir étudié cet écosystème, nous poursuivrons ce projet, où nous prévoyons de collecter des salicornes pour réaliser des expériences. Toujours dans la phase d'étude, nous sèmerons de la salicorne avec différentes concentrations de sel et nous produirons un livre de cuisine avec de la salicorne, en soulignant son importance pour la santé en tant que substitut du sel.

"Un regard sur nos oiseaux

Ce projet présente les oiseaux en vue de reconnaître leur importance en tant que bioindicateurs environnementaux. Les activités menées dans le cadre de ce projet ont toujours fait référence à la préservation et à la conservation des espèces.

Le concours de réalisation de modèles 3D d'oiseaux a été lancé au début de l'année scolaire 2013/2014. Ce concours mettait les élèves au défi de choisir un oiseau et, à l'aide de divers matériaux, de le reproduire le plus fidèlement possible à la réalité. Les familles ont également été impliquées dans la réalisation des maquettes et l'utilisation de matériaux recyclés/réutilisés a été valorisée dans leur évaluation.

Pour sélectionner "l'oiseau gagnant", une équipe de trois juges a été constituée : la Société portugaise pour l'étude des oiseaux (SPEA), le directeur de l'école, Helena Pires, et le responsable du club des "Amis de la nature". Cette sélection a été facilitée par un vote *en ligne,* qui a permis aux familles et à l'ensemble de la communauté scolaire de participer.

Le travail réalisé par les élèves a été exposé à l'école (figure 32-a) avec des photos de Faisca, photographe de la nature, et l'exposition a été annoncée dans la presse locale : "Jornal Rostos" et Folha Viva da CMB.

a)

b)

Figure 32 - a) Exposition des travaux réalisés dans le cadre du concours "Birds in 3D" ; b) Flamant, oiseau gagnant du concours

Le "flamant" fabriqué à partir de gobelets en plastique a été l'oiseau gagnant (figure 32-b), suivi du hibou fabriqué à partir de matériel informatique et, en troisième position, du petit moineau fabriqué à partir de glands et de feuilles de chêne. Ces oiseaux ont été demandés pour être exposés au centre environnemental de Mata da Machada et Sapal de Coina à Barreiro (figure 33-a) et à la galerie RNET (figure 33-b) à Alcochete.

a)

b)

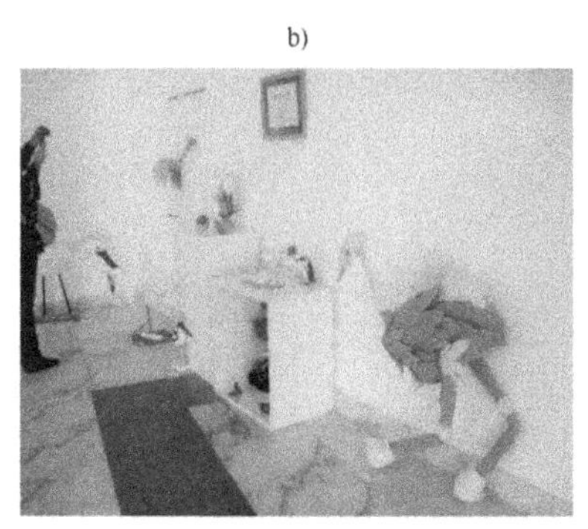

Figure 33 - a) exposition au centre environnemental de Mata da Machada et Sapal do rio Coina ; b) exposition à la galerie RNET à Alcochete

Toujours sur le thème des oiseaux, une conférence a été donnée par la biologiste marine Ana Meirinho le 11 mars 2014, dans le cadre du projet Life + MarPro de la SPEA (Figure 34). Les élèves ont découvert certaines facettes du travail des biologistes marins et, en particulier, le travail réalisé par la SPEA pour conserver les oiseaux et les cétacés et prévenir leur extinction. À la fin de la conférence, les élèves ont effectué un travail de groupe sur les **oiseaux aquatiques *et* terrestres**. À partir de la liste d'oiseaux proposée, les élèves en ont choisi deux, l'un terrestre et l'autre aquatique. À l'aide de guides ornithologiques et d'Internet, ils ont recueilli des informations sur la phénologie des oiseaux choisis (annexe 3). A la fin de cette activité, chaque groupe a présenté son travail.

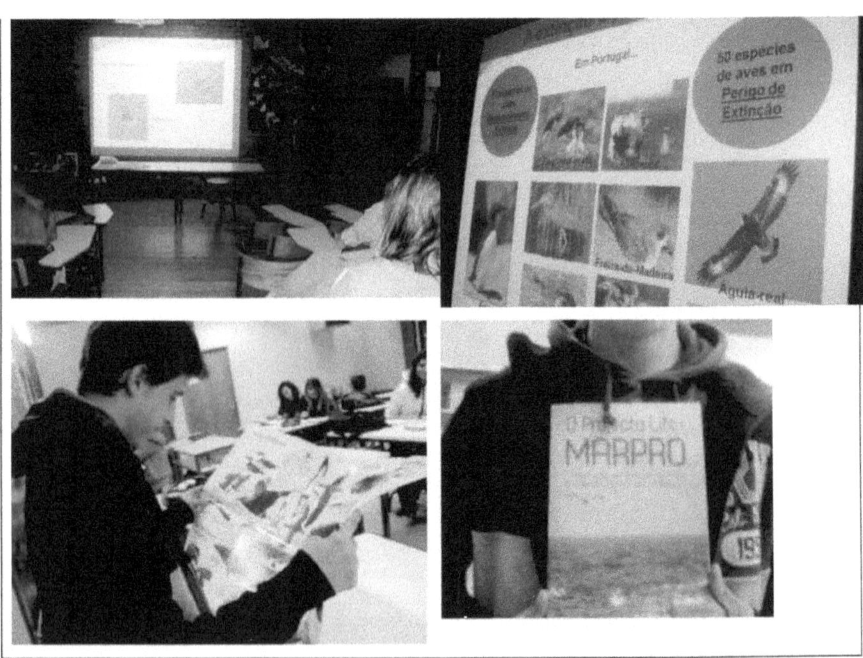

Figure 34 - Activité réalisée avec SPEA dans le cadre du projet Life+MarPro le 11 mars 2014

La Journée internationale de la biodiversité a été célébrée le 22 mai. Les élèves ont assisté à une conférence sur le changement climatique donnée par Joao Braga de l'agence régionale de l'énergie de Barreiro (figure 35). Au final, le débat a été très productif et instructif.

Figure 35 - Conférence sur le changement climatique lors de la Journée internationale de la biodiversité

Toujours sur le thème de la biodiversité, une exposition, gracieusement mise à disposition par le comité du festival Avante, a été présentée à l'école pendant 15 jours. Elle a été exposée au festival Avante en 2010, dans le cadre de la commémoration de l'Année de la biodiversité (Figure 36).

Aux affiches de cette exposition, nous avons également ajouté le travail réalisé par les classes de 5e année d'Isabel Martins, en rapport avec le thème de la "pêche durable" comme moyen de préserver les espèces marines. Les élèves ont peint des sardines de manière créative pour "attirer l'attention" sur la durabilité des océans. Les élèves du 1er cycle ont également fait connaître des créatures aquatiques fabriquées à partir de matériaux recyclés (figure 37).

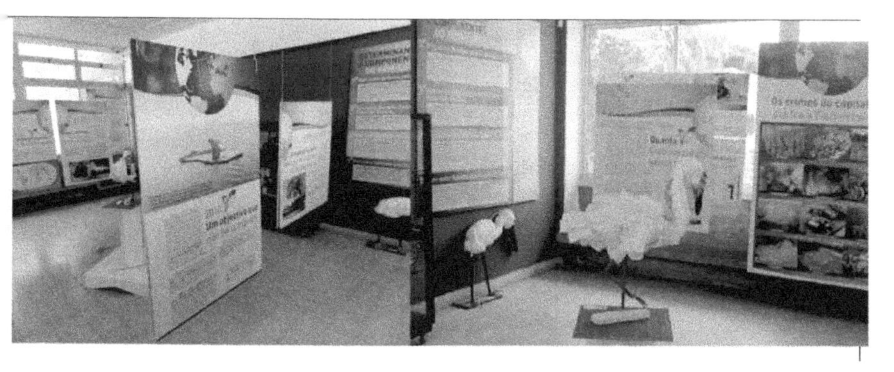

Figure 36 - Exposition de la Journée internationale de la biodiversité

Figure 37 - A gauche, des dessins de sardines et à droite, l'un des travaux des élèves du 1er cycle.

Pour la prochaine année scolaire, le projet devrait se poursuivre avec des concours et des sorties d'observation des oiseaux.

Une graine...un avenir

Le projet **"Une graine... un avenir"** vise à faire connaître la flore portugaise et son importance, en mettant l'accent sur les espèces indigènes. Dans la mesure du possible, les plantes sont semées et multipliées par voie végétative. Les élèves ont ainsi l'occasion de "se salir les mains" et de voir leurs plantes pousser !

Dans ce contexte, nous célébrons la Journée mondiale du gland et la Journée mondiale des forêts. Les élèves de deux classes de troisième année de l'école primaire du groupe scolaire Alvaro Velho ont participé avec enthousiasme au semis de "leurs glands" de chênes-lièges et de chênes. Les élèves du club ont collaboré en aidant les plus petits à chaque fois qu'ils en avaient besoin (Figure 38). Cette interaction entre les cycles a été très enrichissante pour les deux parties et certains élèves sont venus chercher leur arbre lors de la Journée mondiale des forêts.

Figure 38 - Célébration de la Journée mondiale du gland avec le 1er cycle.

Comme nous l'avons déjà mentionné, les plantes halophytes ont fait l'objet d'un travail (annexe 2). Pour la prochaine année scolaire, nous prévoyons de poursuivre le projet et de commencer à explorer le thème des plantes invasives locales.

1.1.2. Le *blog*

Le *blog* a été créé en 2008 pour le cours d'éducation et de formation au jardinage (CEF) afin de motiver les élèves à réaliser les tâches proposées. Ils souhaitaient partager leurs projets avec leurs amis et leur famille. Le *blog* a été mis à jour pendant quatre ans, jusqu'à la fin de la formation.

En 2013, le *blog* a été recyclé pour faire connaître les activités du club "Les amis de la nature", tout en continuant à viser la motivation des élèves. Il est également utilisé pour faire passer des "messages environnementaux" et des informations écologiques pertinentes, afin de toucher l'ensemble de la communauté scolaire et les familles. Il est mis à jour dans la mesure du possible.

Le *blog* est disponible sur le portail de notre école, de la SPEA, de l'ASPEA et également sur le *blog de* BOLOGTA, afin de faire connaître les activités d'éducation à l'environnement dans les écoles. Le lien pour y accéder est : **http://alvarovelho.net/cefjard/.**

Figure 39 - Aspect général du blog du club "Les amis de la nature

2. Projets scientifiques développés dans le cadre de l'activité professionnelle

Je vais vous donner une brève description des principaux projets sur lesquels j'ai travaillé et qui m'ont le plus marqué au cours de mes 18 années d'activité professionnelle.

2.1. Cours d'éducation et de formation (CEF) en jardinage, niveau II

J'ai enseigné ce cours pour la première fois à l'école secondaire de Pinhal Novo. L'adaptation a été difficile car, outre le fait qu'il s'agissait de nouvelles matières avec des programmes différents, les élèves présentaient des caractéristiques particulières. Retenus plus d'une fois la même année et présentant des problèmes émotionnels, ils avaient beaucoup de mal à se concentrer, ce qui se répercutait sur leur comportement et leurs résultats. Bien que j'aie organisé mes cours, j'ai dû adapter des stratégies pour les jours plus "difficiles". Ils avaient des intérêts différents de ceux qu'ils avaient à l'école et des antécédents compliqués, y compris des antécédents de consommation de substances psychoactives. C'était un véritable défi.

À l'Escola Bàsica 2, 3 de Alvaro Velho, j'ai de nouveau été sélectionnée pour "faire fructifier" deux autres groupes de jeunes présentant ces caractéristiques, pendant quatre années consécutives, jusqu'à ce que le cours soit fermé par manque d'étudiants. J'ai enseigné les matières suivantes : 1) Entretien de jardins et de pelouses et 2) Installation de jardins et de pelouses.

J'ai promu des activités visant à relier ces classes à la vie professionnelle, en les planifiant et en les mettant en œuvre en liaison avec le conseil de classe (annexe 4) : Mise en place d'un potager pédagogique ; organisation de foires thématiques avec exposition des travaux réalisés pendant le cours ; suivi des travaux de jardinage organisés avec le CMB (taille, plantation, pose de tapis et entretien du jardin) ; diffusion des travaux/projets des élèves auprès de la communauté scolaire, notamment via le *blog* et le portail de l'école ; collaborer avec les CEF dans les projets EcoEscolas et dans le projet d'éducation à la santé (PES), en participant à des conférences sur l'alimentation, les habitudes saines et la sexualité responsable.

2.2. Enseignement supérieur

Mon bref passage dans l'enseignement supérieur à l'Instituto Superior de Ciências Educativas de Felgueiras (ISCE-Felgueiras) a été une expérience très productive et un grand défi. Pendant deux années non consécutives (années académiques 2000/2001 et 2002/2003), j'ai enseigné la biologie, 4e année, dans la variante Maths et Sciences naturelles du cours de formation des enseignants de l'école primaire (2e cycle) et la didactique des sciences naturelles, 3e année du même cours (année académique 2002/2003).

J'ai établi une bonne relation pédagogique. En plus du programme à enseigner, j'ai partagé des expériences sur mes pratiques pendant que les étudiants se préparaient à enseigner.

2.3. Activités développées au sein de la communauté éducative

Tableau 5 - Visites d'études au cours de ma carrière professionnelle

Date	Lieu de visite	Étudiants participants
2000	Installations de Pronicol	8ème année
2001	Bracaland	8ème année
2003	Le parc biologique de Gaia et le centre multimédia d'Espinho	7ème année
2004	Vers Herdade das Parchanas	8ème année
2008	Visite d'étude à l'Instituto Superior de Agronomia ou au Jardin botanique de Lisbonne (Tapada de Ajuda).	CEF
2009	Salon annuel du jardinage à l'Expo	CEF
2010	Promenade dans le parc Baixa da Banheira	CEF
2010	Visite de la Mata da Machada et du musée des Marines	CEF
2010	EUROSKILLS Lisbonne 2010	CEF
2010	Visite d'étude à Amarsul dans le domaine du recyclage des matériaux	CEF
2010	Vers le parc Badoca	CEF
2011	Jardin botanique et musée d'histoire naturelle	CEF
2011	Visite du parc Catarina Eufémia	CEF
2013	A l'Océanarium de Lisbonne	9ème année
2014	Salines Samouco	Club
2014	Le Centre scientifique vivant Alviela	9ème année
2014	Salines Samouco	Club
2014	Parc biologique de Gaia	Club

Autres activités :

- Participation à l'organisation de la foire aux minéraux :

- Mai 2003

- 2,3,4 et 5 décembre 2003
- Octobre 2011

\- Coopération dans les domaines de l'école et du projet, où j'ai fait répéter les élèves pour une pièce de théâtre intitulée "Renovar é reciclar" et j'ai participé à la production de papier recyclé en 2000.

\- Organisation d'activités pour la semaine culturelle en 2000.

\- Organisation d'une activité d'astronomie en collaboration avec le groupe thématique et le collègue responsable du club d'astronomie. Un planétarium mobile est venu à l'école. Cette activité a été préparée pour les classes de septième et huitième année, mais a finalement été étendue à tous les "curieux" qui ont manifesté leur intérêt pour y participer.

\- Collaboration et participation à l'organisation du week-end d'astronomie intitulé "Voyage vers les étoiles", qui s'est tenu les 30 et 31 mai à l'Escola EB 2,3 Joao de Meira. Cette activité a consisté en des conférences, des jeux, des observations astronomiques du ciel (constellations, planètes, amas) et des débats auxquels les parents et les soignants ont également participé. Les conférences ont été données par le Dr Pedro Neves de l'ANOA et le Dr Carlos Oliveira de l'Université du Texas.

\- Coopération dans l'activité de laboratoire "Sciences naturelles pour les curieux" et "Physique et chimie en action", qui s'est tenue le 20 juin 2003. Le groupe des sciences naturelles, en collaboration avec le groupe de physique et de chimie, a organisé une activité en laboratoire avec une variété d'expériences.

\- Coordination des projets et des clubs dans le département depuis 2013.

\- Promotion d'activités de liaison avec la vie pour les classes de jardinage du CEF, sur une période de cinq années scolaires (annexe 4).

3. Enregistrement de l'activité professionnelle

J'ai obtenu mon diplôme en biologie et géologie (via l'enseignement) à l'université de Tràs-Os-Montes et Alto Douro, avec un stage d'enseignement intégré à l'école secondaire Miguel Torga de Bragança. Pendant 18 ans, j'ai enseigné aux niveaux scolaires décrits dans le tableau 6.

Tableau 6 - Parcours professionnel

Année scolaire	L'école	Thèmes	Niveaux
1996/97	École secondaire Miguel Torga - Bragança	Sciences de la vie et de la terre Sciences naturelles	10ème année 8ème année
1997/98	Externato Liceal de Torre de Dona Chama-Mirandela	Sciences naturelles Sciences naturelles	8ème année 9ème année

1998/99	École secondaire Mondim de Basto	Sciences de la vie et de la terre Éducation récurrente	11ème année 3ème cycle 3ème cycle
1999/2000	Francisco Ornelas da Câmara EB 2,3 École	Sciences naturelles	7ème année
	- Açores	Sciences naturelles	8ème année
2000/2001	EB 2,3 École D. Afonso Henriques à Guimaraes Institut supérieur des sciences de l'éducation de Felgueiras	Sciences naturelles Sciences naturelles Biologie (enseignement supérieur)	7ème année 8ème année 4ème année
2001/2002	EB 2,3 Joao de Meira, Guimaraes	Sciences naturelles Sciences naturelles	7ème année 8ème année
2002/2003	EB 2,3 Joao de Meira, Guimaraes Institut supérieur des sciences de l'éducation Felgueiras	Sciences naturelles Sciences naturelles Biologie(Enseignement supérieur) Didactique des sciences naturelles I(Enseignement supérieur)	7ème année 8ème année 4ème année 3ème année
2003/2004	EB 2,3 D. Martinho Vaz de Castelo Branco, à Póvoa de Santa Iria	Sciences naturelles Sciences naturelles	7ème année 8ème année
2004/2005	École secondaire de Pinhal Novo- Palmela	Jardinage CEF,	niveau II
2005/2006	École secondaire de Pinhal Novo- Palmela	Sciences naturelles Sciences naturelles	8ème année 9ème année
2006/2007	Àlvaro Velho EB 2,3 École	Sciences naturelles Sciences naturelles	8ème année 9ème année
2007/2008	Àlvaro Velho EB 2,3 École	Sciences naturelles Sciences naturelles	7ème année 9ème année
2008/2009	Àlvaro Velho EB 2,3 École	Sciences naturelles CEF Jardinage	8ème année niveau II
2009/2010	Àlvaro Velho EB 2,3 École	Sciences naturelles CEF Jardinage	7ème année niveau II
2010/2011	Àlvaro Velho EB 2,3 École	Sciences naturelles CEF Jardinage	8ème année niveau II
2011/2012	Àlvaro Velho EB 2,3 École	Sciences naturelles CEF Jardinage	7ème année niveau II
2012/2013	Àlvaro Velho EB 2,3 École	Sciences naturelles	8ème année
2013/2014	Àlvaro Velho EB 2,3 École	Sciences naturelles	9ème année

Le fait d'avoir voyagé dans une grande variété d'écoles m'a permis de connaître des réalités "différentes" et m'a appris à faire face à des changements rapides et à m'adapter. Cependant, je pense que la continuité dans une même école est beaucoup plus bénéfique pour les élèves et pour l'enseignant.

Au cours de ma carrière, j'ai acquis une grande expérience dans la variété des niveaux que j'ai enseignés, y compris le 3ème cycle, le secondaire, l'enseignement récurrent (du soir) dans des unités capitalisables, et aussi deux ans dans l'enseignement supérieur, non consécutivement. Avec la création du club des "Amis de la Nature", j'ai eu l'occasion de travailler avec les 1er et 2ème cycles.

Des expériences différentes, toutes vécues avec une grande responsabilité et un grand souci d'accomplissement. Tout au long de ma carrière professionnelle, je me suis toujours efforcée de remplir toutes les tâches et positions (tableau 7) qui m'ont été confiées et dont je fais brièvement le bilan.

Tableau 7 - Postes occupés

Année scolaire	Position
1997/1998 2003/2004 2007/2008 2012/2013 2013/2014	Gestion des classes
2007/2008	Gestion des installations - Laboratoires scientifiques Naturel
2013/2014	ion des clubs et des projets du département des sciences expérimentales.
2012/2013 2013/2014	Représentant du groupe
1999/2000	Coordination des départements

Coordinateur de département

En tant que coordinateur, j'ai participé aux réunions du conseil pédagogique chaque fois que j'ai été sollicité, en accomplissant les tâches qui m'ont été confiées dans le temps imparti. J'ai apporté mon travail, mes idées et mes opinions à la réflexion et à la résolution des problèmes éducatifs. J'ai tenu des réunions départementales au cours desquelles j'ai transmis les informations du conseil pédagogique à mes collègues. J'ai essayé de contribuer au développement de bonnes relations au sein de mon groupe de travail et j'ai participé activement à la résolution des problèmes.

Directeur de classe

En tant que chef d'établissement, j'ai toujours essayé de résoudre les conflits et de maintenir des conditions d'organisation avec l'ensemble de la communauté scolaire.

Pour ce faire, je me base sur une relation de confiance et de respect mutuel, en amenant les élèves à réfléchir sur leurs propres actions, en essayant de maintenir l'ordre et le bon sens, toujours sur la base du dialogue, tant à l'intérieur qu'à l'extérieur de la salle de classe.

J'ai toujours essayé de faire en sorte que les étudiants se sentent ouverts au dialogue, en écoutant toutes les justifications des différentes situations qui se présentaient, en conseillant toujours une manière appropriée de les résoudre.

J'ai été en contact avec les parents et les tuteurs à plusieurs reprises, les informant toujours des progrès de leurs enfants à l'école, les accueillant à mes heures de bureau et en dehors, organisant des réunions après le travail chaque fois que je le jugeais nécessaire. J'ai essayé de les tenir informés des résultats, du comportement et de l'assiduité des élèves.

J'ai toujours gardé le *dossier de* gestion de la classe organisé et à jour et j'ai enregistré les absences justifiées et injustifiées, en tenant les parents et les tuteurs informés à tout moment.

Je favorise le suivi individualisé des élèves, en diffusant les informations nécessaires aux enseignants de la classe afin de fournir une orientation éducative appropriée aux élèves et en encourageant la participation des parents et des tuteurs à la mise en œuvre des actions d'orientation et de suivi.

En tant que directeur de classe, j'ai organisé les projets de programme de la classe. J'ai ressenti une responsabilité accrue car, plus que jamais, j'ai senti que l'on attendait de moi que je prenne la tête de l'analyse des conditions impliquées dans la reconstruction, la différenciation et l'adaptation du programme, de l'organisation des activités/projets pour l'ensemble de la classe et de la discussion et de l'information sur les principes méthodologiques et d'évaluation. Ainsi, dans les projets de curriculum de la classe et dans le conseil de classe, nous planifions et expliquons les lignes directrices à adopter pour le travail à effectuer dans les domaines curriculaires non disciplinaires, l'articulation à réaliser entre les différents domaines disciplinaires, l'accent à mettre sur les compétences essentielles et, enfin, les critères et les outils d'évaluation.

J'ajouterai que j'ai toujours essayé de participer aux projets Area-School/Project Area, tant qu'ils ont existé, développés par les élèves des différentes classes.

Représentant du groupe disciplinaire

En tant que représentant du groupe thématique, j'ai convoqué des réunions au cours desquelles j'ai transmis à mes collègues des informations pertinentes pour le groupe thématique. J'ai entretenu de bonnes relations au sein de mon groupe de travail, en partageant du matériel et en échangeant des expériences. J'ai organisé toutes les tâches liées à l'examen d'équivalence.

Dans la mesure du possible, j'ai mis à jour le *dossier* avec les plans et les calendriers.

J'ai rencontré les représentants des différents éditeurs et, avec le groupe, j'ai analysé et choisi les manuels à adopter.

Relation pédagogique avec les étudiants

Je considère que j'ai toujours établi une bonne relation et un bon rapport pédagogique avec mes élèves, car j'ai fourni un climat favorable au développement de l'apprentissage, au bien-être et au développement affectif, émotionnel et social des élèves. J'ai établi des règles de participation et de communication dans la classe, favorisant la participation de tous et l'intégration des élèves en difficulté. J'ai toujours été disponible pour aider et soutenir les élèves. J'ai pris les mesures appropriées pour maintenir la discipline dans la classe, favorisant un climat propice à l'apprentissage de mes élèves. J'ai établi un bon climat de classe, propice au développement de stratégies d'enseignement/apprentissage planifiées. J'ai renforcé l'apprentissage, les attitudes et les routines ou j'ai corrigé certaines erreurs et certains comportements chaque fois que cela était nécessaire. J'ai utilisé l'empathie et le renforcement positif comme moyen d'élever les attentes des élèves ayant plus de difficultés et d'améliorer leur estime de soi.

J'ai été attentive aux difficultés de mes élèves et je me suis montrée disponible pour répondre à leurs demandes, lorsqu'elles existaient, tant à l'intérieur qu'à l'extérieur de la salle de classe. J'ai essayé de me rapprocher des élèves afin d'établir une relation ouverte et sincère, car je pense que cela peut être bénéfique non seulement à la relation enseignant-élève, mais aussi à l'intégration scolaire et au processus d'enseignement-apprentissage. Cette approche a eu l'avantage de me permettre de mieux détecter les besoins, les intérêts, les aptitudes et les vocations des élèves, afin de mieux les comprendre et les aider.

J'ai favorisé la socialisation des élèves et leur ai fourni un soutien scolaire, afin d'éviter qu'ils n'abandonnent l'école. Dans le cas des élèves que je considérais comme des décrocheurs potentiels, j'ai informé le directeur de classe et collaboré avec le conseil de classe pour définir des stratégies d'action qui ont permis de résoudre diverses situations.

Dans les classes CEF de jardinage, en collaboration avec le conseil de classe, j'ai favorisé la socialisation de ces élèves et la mise en place d'activités de mise en relation avec la vie professionnelle, ce qui leur a permis de surmonter certaines difficultés émotionnelles.

Je crois que je me suis toujours préoccupée des élèves ayant des besoins éducatifs particuliers (SEN), en collaborant avec le conseil de classe et l'équipe de soutien pédagogique pour définir et mettre en œuvre des stratégies d'action communes et/ou des ajustements du programme pour ces élèves, en vue d'adapter les stratégies d'enseignement. En termes d'évaluation, j'ai réalisé des fiches de travail et des devoirs individualisés.

"L'apprentissage de la profession d'enseignant est un processus complexe qui se déroule tout au long de la... "

(Carreiro da Costa, Carvalho, Onofre, Diniz & Pestana, 1996)

4. Formation professionnelle

La mise à jour des connaissances dans l'enseignement est essentielle car le monde est en constante évolution, ce qui nécessite une capacité d'adaptation et une maîtrise des nouvelles technologies, qui ne peuvent être acquises qu'avec du temps consacré à la recherche et à la formation.

La formation continue est un ensemble de caractéristiques qui favorisent le développement professionnel des enseignants et le développement de l'organisation scolaire. Depuis le début de ma carrière, il y a dix-huit ans, j'ai toujours considéré la formation comme essentielle. L'apprentissage et la mise à jour des connaissances sont très importants car la science progresse constamment. Je trouve également très productif l'échange d'expériences et le partage de connaissances avec le groupe de professionnels avec lequel la formation est partagée. J'ai essayé de me tenir à jour en termes de connaissances scientifiques, pédagogiques et didactiques afin d'améliorer mes pratiques éducatives et d'optimiser l'enseignement à l'école. Ainsi, ma formation est organisée en 3 domaines spécifiques : 1) scientifique, 2) pédagogique et 3) technologies de l'information et de la communication.

Domaine scientifique

(1) Participation au "**XVIIe cours de recyclage pour les professeurs de géosciences**", organisé par l'Association portugaise des géologues, qui a eu lieu à Bragança du 16 au 18 avril 1997 (annexe 5).

(2) Participation au séminaire "**Education pour la santé en milieu scolaire**" organisé par le Centre de santé de Praia da Vitória du 22 au 25 février 2000, 24 heures (annexe 6).

(3) Participation à la conférence intitulée "**Influences des facteurs génétiques sur l'histoire naturelle du cancer**", donnée par le professeur Manuel Diamantino Bicho, à l'UTAD, le 13 novembre 2000, à Vila Real (annexe 7).

(4) Participation au **Mini-Forum Ciência Viva 2000**, qui a eu lieu à l'UTAD le 24 novembre, dans le cadre de la IIème Quinzaine de la Science et de la Technologie de l'UTAD (Annexe 8).

(5) Participation à la session de formation sur "**l'éducation sexuelle**", donnée par le Dr Constantino Santos, le 22 mars 2002, à l'Escola EB 2,3 Joao de Meira (annexe 9).

(6) Session de formation **: "Compostage dans les écoles", organisée** par l'Association de la Vallée de l'Ave dans le cadre d'une campagne de sensibilisation au processus de compostage, à la mairie de Guimaraes le 14 mai 2003 (annexe 10).

(7) Participation à la session de formation : "**Éducation à l'environnement. Visions globales transversales - vers une stratégie d'intervention", qui a** coïncidé avec la première réunion mondiale sur l'éducation à l'environnement (FWEEC), qui a eu lieu les 21, 22, 23 et 34 mai 2003 au Centro Multimeios de Espinho, organisée par le Centre de formation de l'Ordre des biologistes, 25 heures (annexe 11).

(8) Participation à la réunion thématique : **"Biotechnologie et société", qui a eu lieu** le 10 décembre 2003 dans l'auditorium de l'INETI - Lisbonne. Elle était supervisée par le Professeur Pedro Fevereiro (Annexe 12).

(9) Participation au cours de formation **: "L'enseignement expérimental des sciences - Nouvelles pratiques à l'école primaire - La terre en transformation"**, donné par Dr Paula Peralta et Dr Luis Dourado, qui a eu lieu du 18 avril 2006 au 25 mai 2006, d'une durée de 25 heures (Annexe 13).

(10) Participation à la formation **"Education sexuelle à l'adolescence", qui s'est déroulée** du 21 novembre au 10 décembre 2008 et qui a duré 30 heures, dispensée par le formateur Dr Màrio Durval (Annexe 14).

(11) Formation : **"Agriculture biologique et compostage à l'école",** avec la formatrice Raquel Sousa, qui a duré 25 heures et s'est déroulée du 11 février au 7 mai 2011 à l'école primaire Alvaro Velho 2,3 (annexe 15).

(12) Participation à l'atelier de formation **: "Éducation sexuelle à l'école - Méthodologies et interventions**" donné par le Dr Màrio Durval, qui a duré 50 heures et s'est déroulé du 20 septembre au 15 novembre 2011 à l'école fondamentale Alvaro Velho 2,3 (annexe 16).

(13) Participation à la formation de 25 heures "**Introduction à l'identification des oiseaux",** donnée par Nuno Barros et Alexandra Lopes de SPEA, qui a eu lieu les 10, 11, 17, 18 et 24 mai 2013 (Annexe 17).

(14) Participation au séminaire **"Agents d'éducation à l'environnement, contributions à la participation et à la citoyenneté"**, qui a eu lieu le 9 mai 2014 dans l'auditorium de l'école secondaire Rainha Dona Leonor à Lisbonne. Non crédité (annexe 18).

(15) Participation à une visite de terrain sur **"L'importance écologique des estuaires : l'estuaire du Tage"**, le 31 mai 2014, avec le professeur Henrique Cabral (annexe 19).

Domaine d'enseignement

(1) Réunion de formation sur le thème : **"Le stress dans la profession d'enseignant",** tenue le 23 avril 1999 au Séminaire de Vilar à Porto (annexe 20).

(2) Cours de formation **"Didactique des sciences pratiques et perspectives contemporaines de l'enseignement scientifique"**, qui a eu lieu du 6 au 10 septembre 1999 (30 heures), à l'Escola E,B.3/Secundària Vitorino Nemésio (Annexe 21).

(3) Participation aux 1ères Journées pédagogiques du Centre de formation de l'Association des écoles de Chaves et Boticas sur le thème : **"Par la formation, (re)construire la profession"**, qui

se sont déroulées les 12 et 13 septembre 2000 à l'hôtel Aquae Flavie (annexe 22).

4) Participation à la **"III Encontro Regional de Educaçâo"**, qui a eu lieu dans l'auditorium du campus de Guimaraes de l'université du Minho le 26 février 2003, organisée par Ediçoes Asa (annexe 23).

5) Séminaire sur **"La gestion des programmes d'études : évaluation et reformulation"**, organisé le 27 février 2003, sous la direction de Maria Vasconcelos, à l'Escola EB 2,3 Joao de Meira (annexe 24).

6) Session de formation : **"Le B C des émotions"**, tenue les 28 et 29 mars et les 2 et 3 avril 2003, à l'Universidade Portucalense Infante D. Henrique - Porto, dispensée par le formateur Ivete Azevedo, 25 heures (Annexe 25).

7) Cours de formation : **"Mettez votre voix et... Parler"**, dirigé par le Dr Eduardo Magalhaes, qui a duré 25 heures et s'est déroulé les 12, 17, 19, 24, 26 et 31 mars ; les 2, 7, 9, 28 et 30 avril et les 5 et 7 mai, à l'école secondaire Martins Sarmento (annexe 26).

8) Réunion sur l'éducation ; **"Être enseignant, c'est..."**, tenue à l'hôtel Porto Palàcio, le 27 mai 2003, à Porto, organisée par Constância Editora (annexe 27).

9) Séminaire **: "Sélection, recrutement et mobilité des enseignants ; concours 2004 - nouveau régime juridique"**, organisé par la FEPECI - Fédération portugaise des professionnels de l'éducation, de l'enseignement, de la culture et de la recherche, qui a eu lieu le 9 janvier 2004 dans l'auditorium de l'Institut franco-portugais de Lisbonne (annexe 28).

10) Séminaire organisé par pro-order, sur le thème : **"Enseigner... pas seulement parler - exercices pratiques, conseils et stratégies", qui s'est** tenu le 13 février 2004, dans l'auditorium de l'Escola bàsica 1, 2, 3 Vasco da Gama (Annexe 29).

11) Cours de formation : **"Espace de projet - Espace privilégié pour le développement des compétences"**, organisé par le centre de formation de l'association scolaire Vila Franca de Xira, par le Dr Jorge Lemos, à l'école EB 2,3 D.Martinho Vaz à Castelo Branco. Il s'est déroulé entre février et mai 2004 - correspondant à un crédit - 25 heures (annexe 30).

12) Présentation des manuels pour la matière Sciences naturelles, le 9 mai 2006 au Novotel de Setúbal (Annexe 31).

13) Réunion éducative sur le thème **: "Contributions à une pratique pédagogique différenciée - 8e année"**, tenue le 19 mai 2007 au Novotel de Setúbal (annexe 32)

14) Session de formation : **"L'orientation tout au long de la vie"**, le 25 mai 2011, organisée par l'ANQ, l'Agence nationale d'orientation, et l'Institut d'orientation professionnelle de Lisbonne

(annexe 33).

(15) Réunion éducative sur le thème : **"Encontros da Porto Editora",** tenue le 15 mars 2008 au Novotel de Setúbal (Annexe 34).

(16) Encontros pedagógicos Areal Editores : **"Ways of using the school textbook in teaching practices and their articulation with current programmes",** organisé le 3 avril 2008 au Novotel de Setúbal (annexe 35).

(17) Réunion éducative sur **"Nos livres",** tenue le 22 avril 2008 au Novotel de Setúbal (annexe 36).

(18) **Présentation des nouveaux projets**, présentation des manuels scolaires de Porto Editora, le 13 mai 2014, à Setúbal (Annexe 37).

(19) Atelier de formation de 50 heures **"Apprentissage actif : nouvelles méthodologies pour l'enseignement de la conservation de la biodiversité"**, crédité de 2,4 crédits, par la formatrice Professeur Maria Amélia Louçao, au Jardin botanique de Lisbonne (Annexe 38).

Domaine des technologies de l'information et de la communication

(1) Une session de formation sur **"la communication, les nouvelles technologies et l'apprentissage"**, qui a eu lieu les 22 et 23 mai 1997 à l'école d'éducation de Bragança (annexe 39).

(2) Un cours de formation intitulé **"Windows pour débutants"** a eu lieu du 2 au 31 mai 2002 à l'école secondaire Martins Sarmento, d'une durée de 25 heures (annexe 40).

(3) Cours de formation : **"L'ordinateur à l'école"**, donné par le Dr Luis Dourado, qui s'est déroulé du 14 février 2005 au 2 mai, d'une durée de 50 heures (annexe 41).

(4) Session de formation : **"L'utilisation des technologies de l'information et de la communication (TIC) dans les processus d'enseignement/apprentissage"**, dispensée par le Dr Jorge Bico, du 11 octobre 2007 au 6 décembre 2007, d'une durée de 25 heures (annexe 42).

(5) Atelier de formation : **"Courselab,** un **outil de création de contenu",** d'une durée de 2 heures, promu dans le cadre du plan TIC du groupe scolaire Alvaro Velho, le 19 novembre 2008 (annexe 43).

(6) Formation : **"Tableaux interactifs multimédias dans l'enseignement/apprentissage des sciences expérimentales"**, d'une durée de 15 heures, par le formateur Carlos Cunha (annexe 44).

Conclusion

Les thèmes abordés dans ce rapport nous ont permis d'élargir nos connaissances et expériences professionnelles et personnelles et d'impliquer l'ensemble de la communauté éducative de l'école primaire Alvaro Velho 2,3 dans le thème du projet éducatif de l'école : "Citoyenneté et développement durable, penser globalement, agir localement", en utilisant l'estuaire du Tage comme devise.

L'implication des élèves dans les projets et dans la relation pédagogique avec les enseignants des différentes matières a été importante, ce qui a permis de les sensibiliser et de changer leurs attitudes, les préparant ainsi à leur rôle dans le futur. L'ensemble de la communauté scolaire a collaboré aux activités chaque fois que cela s'est avéré nécessaire.

L'école devra s'ouvrir aux familles et à la communauté locale d'une manière différente et être considérée comme un agent actif du changement dans l'éducation à l'environnement et pas seulement comme un transmetteur passif d'informations et de valeurs.

En participant aux projets, les élèves ont compris l'importance de la préservation des espèces (l'extinction est définitive), ils ont installé des nids et des mangeoires pour les passereaux dans la cour de l'école, ils ont fait de l'ornithologie avec des jumelles. Ils ont participé à diverses sorties sur le terrain, dont la réalisation d'un court-métrage qui a remporté un prix national de l'ASPEA, ont reçu des formations d'organismes extérieurs tels que le CMB, la SPEA, l'AREB et ont établi des échanges avec des écoles primaires et secondaires. Tout cela leur a permis d'apprendre que : "Il est de notre **devoir de sauvegarder notre patrimoine".**

L'éducation au développement durable doit être une réalité concrète pour nous tous, individus, organisations, gouvernements, dans toutes nos décisions et actions quotidiennes, afin de laisser en héritage une planète durable et un monde plus sûr *(Jorge Werthein,* représentant de l'UNESCO au Brésil). Le "développement durable" est un développement qui répond aux besoins actuels sans compromettre la capacité des générations futures à répondre à leurs propres besoins (selon la Commission Brundtland).

Au Portugal, il existe deux documents de référence obligatoires : la stratégie nationale de développement durable (SNDD) et la proposition de système d'indicateurs de développement durable approuvée par le Conseil des ministres le 28 décembre 2006. Le premier document décrit les domaines stratégiques vers la durabilité, les objectifs et les instruments sectoriels disponibles, en se concentrant déjà sur un ensemble d'indicateurs (environnementaux, économiques, sociaux et institutionnels). Le second définit les indicateurs à utiliser, les sources d'information et la méthodologie de calcul, établit un lien avec les principes énoncés dans l'Agenda 21 et, enfin, illustre la situation du pays.

En résumé, la stratégie nationale de développement durable pour 2005-2015 poursuit les objectifs suivants : rapprocher le développement économique du Portugal de la moyenne européenne, améliorer la position du pays dans l'indice de développement humain et réduire le déficit écologique de 10 %. Ces objectifs sont atteints grâce à des politiques et des mesures prises par l'État (au niveau central et local), les entreprises et les citoyens.

La stratégie pour que la technologie nous apporte une meilleure qualité de vie avec le moins d'impact possible sur l'environnement repose sur une plus grande démocratisation de l'information, l'éducation à l'utilisation des ressources naturelles, le respect des droits des citoyens et la justice sociale, amenant la société à participer à la production dans le cadre d'un développement durable.

Bibliographie

Administraçao da Regiao Hidrografica do Tejo & Gabinete de Ordenamento do Territòrio, I. P. (2009) O Plano de Oredenamento do Estuàrio do Tejo, Saberes e reflexoes, 1ª edition, ARH do Tejo, I.P.

Azevedo, R. (2001) Montijo e o Rio-100 anos de uma relação, Câmara Municipal do Montijo.

Chitas, P. & Branco, J. (2012) Guia dos rios e barragens, Tagus River, Belver Dam, Ediçao Visao.

Camarao, A., Sardinha, A. & Silva, J. (2008) A Fàbrica- 100 anos da CUF no Barreiro, Editorial Bizâncio

Canelas, V. (1999) Patrimònio Natural do Concelho de Palmela, Câmara Municipal de Palmela.

Cardoso, M. (2013) O Tejo-virtuosismo das suas águas e gentes, édition de l'auteur.

Commission de coordination de la région de Lisbonne et de la vallée du Tage. (1998) Nos caminhos do sal - Itinéraires touristiques et culturels de la région de Lisbonne et de la vallée du Tage.

Dias, A. & Marques, J. (1999) Estuaires. L'estuaire du Tage : sa valeur et un peu de son histoire, Alcochete : Reserva Natural do Estuàrio do Tejo.

Division de la culture, du patrimoine historique et des musées (2012) Routes du travail et de l'industrie - Contextes historiques, Barreiro, Mairie de Barreiro.

Farinha, J. (2000), Routes et habitats du Portugal, ICN, Assirio e Alvim.

Ferrao, J. (2004) Área Metropolitana de Lisboa, Gentes, Paisagens e Lugares, Norprint.

Fonseca, C. (1998) Rotas do Tejo, A Regiao de Lisboa e Vale do Tejo, Past, Present and Future, Comissao de Coordenaçao da Regiao de Lisboa e Vale do Tejo.

INQUIRE (2011) Manuel pour les enseignants et les éducateurs du cours pilote, INQUIRE, Lisbonne : Portugal.

Lima, M. (1997) Terras de Laurus-Encontros com o Patrimònio Natural e Ambiental do Concelho do Seixal, Câmara Municipal do Seixal, Plàtano Editora.

Lima, M. (1997) A Reserva Ecològica Nacional do Concelho do Seixal-Contributos para a sua descriçao e divulgação, Câmara Municipal do Seixal.

Lima, M. (1997) Peixes e pescarias no concelho do seixal, Estuàrio do Tejo, Câmara Municipal do Seixal, Ecomuseu.

Luzia, Â, (1994) Lavradio e as suas gentes, Gràfica Lavradiense, Junta de Freguesia do Lavradio.

Morgado, F., Pinho, R. & Leao, F. (2000) Para um ensino interdisciplinar e experimental da Educaçao Ambiental, Plàtano Ediçoes técnicas.

Neves, F. (2010) *Dynamique et hydrologie de l'estuaire du Tage : résultats des observations in situ,* Université de Lisbonne, Faculté des sciences.

Oliveira L. (2001) Educaçao Ambiental- Guia pràtica para professores, monitores e animadores culturais e de tempos livres. Texto Editora

Pais, A. (1971) O Barreiro Contemporâneo-A grande e progressiva vila industrial, III volume e Miscelânea (factos e figuras do Barreiro de várias épocas), Ediçao da Câmara Municipal do Barreiro.

Ribeiro, L. (2012) Histórias do Tejo, A esfera dos livros.

Saraiva, J. (2005) *As ruas do Lavradio-suas gentes e memórias,* volume 1, Junta de ferguseia do Lavradio.

Soares, B. & Leite, P. (2001) *Area Metropolitana de Lisboa, Anos de Mudança,* Area Metropoloitana de Lisboa.

Uzzel, D., Fontes, P., Jensen, B., Vognesen, C., Uhrenholdt, G., Gottesdiener, H., Davallon, J. & Kofoed, J. (1998) *Children as agents of environmental change*, Campo das Letras.

Autres références bibliques :

Flick, Lawrence, The meaning of hands-on science, Washington State University, Journal of science teacher education, volume 4, pg 1-8, winter, 1993

Tal, T. (2004), Using a field trip to a wetland as a guide for conceptual understanding in environmental education - a case study of a pre-service teacher's research. Chemistry Education research and practice, vol. 5, n° 2 : pg. 127-142

http://lugaresdoseixal.blogspot.pt/, consulté le 23 août http://www.fcsh.unl.pt/estuarios/teses/tm01.pdf, consulté le 5 août 2014 http://www.mohanmunasinghe.com/, consulté le 5 août 2014 http://www.omilitante.pcp.pt/pt/286/Economia/25/,24, consulté le 24 août http://www.evoa.pt/index.php?lang=PT, consulté le 26 août https://www.visitportugal.com/en/content/evoa, consulté le 23 août http://www.fibonacci-project.eu/, consulté le 7 septembre 2014

http://www.sails-project.eu/portal/project, consulté le 7 septembre 2014 http://www.fpce.up.pt/ciie/revistaesc/ESC21/21-8.pdf, consulté le 24 septembre 2014 http://emaberto.inep.gov.br/index.php/emaberto/article/viewFile/761/682, consulté le 24 septembre

http://www. academia. edu/2924376/A_educa%C3 %A7%C3%A3o_ambiental_na_forma%C3
%A7%C3%A3o_academica_de_professores, consulté le 17 nov.

Annexes

Milton Keynes UK
Ingram Content Group UK Ltd.
UKHW012224290324
440241UK00001B/85